TACLO'R TREIGLADAU

David A. Thorne

GOMER

Argraffiad cyntaf—1997

ISBN 1 85902 503 X

ⓗ David A. Thorne

Mae David A. Thorne wedi datgan ei hawl dan Ddeddf Hawlfraint, Dyluniadau a Phatentau 1988 i gael ei gydnabod fel awdur y llyfr hwn.

Dymuna'r cyhoeddwyr gydnabod cymorth
Cyngor Llyfrau Cymru.

Argraffwyd gan
Wasg Gomer, Llandysul, Dyfed

RHAGAIR

Seiliwyd y gyfrol hon ar yr adrannau hynny sy'n ymwneud â'r treigladau a'r cyfnewidiadau llafarog yn *Gramadeg Cymraeg*, D. A. Thorne (Llandysul, Gwasg Gomer, 1996). Manteisiwyd, sut bynnag, ar y cyfle hwn i newid ambell enghraifft ac ychwanegu enghreifftiau pellach er mwyn sicrhau trafodaeth fwy cytbwys a chynhwysfawr. Y cyfeirlyfr safonol ac anhepgor ar gyfer astudio treigladau'r Gymraeg yw *Y Treigladau a'u Cystrawen*, T. J. Morgan (Caerdydd, Gwasg Prifysgol Cymru, 1952). Dengys y llyfryddiaeth ar ddiwedd y gyfrol hon faint fy nyled i weithiau eraill yn ogystal.

Yn dilyn yr ymdriniaeth ceir dwy adran o ymarferion a'r rheini wedi eu seilio ar adran berthnasol yng nghorff y llyfr; ceir uwchrif yn cyfeiro at yr adran honno. Nod y drydedd adran o ymarferion yw dangos y treigladau ar waith mewn rhyddiaith gyfoes.

BYRFODDAU

amherff.	amherffaith
ans.	ansoddair
BBCS	*Bwletin y Bwrdd Gwybodau Celtaidd*
ben.	benywaidd
CLlGC	*Cylchgrawn Llyfrgell Genedlaethol Cymru*
cyf.	cyfartal
dib.	dibynnol
e b u.	enw benywaidd unigol
e g u.	enw gwrywaidd unigol
eith.	eithaf
gorb.	gorberffaith
gorch.	gorchmynnol
gorff.	gorffennol
gw.	gweler
gwr.	gwrywaidd
ll.	lluosog
myn.	mynegol
pres.	presennol
rhag.	rhagenw

Treigladau Cytseiniaid Dechreuol

Cyflwyniad

§ 1 Nodweddir y Gymraeg a'r holl ieithoedd Celtaidd gan dreigladau dechreuol lle y cyfnewidir un gytsain am gytsain arall ar ddechrau gair dan amgylchiadau morffolegol neu gystrawennol arbennig.

Yn y Gymraeg mae'n arferol dosbarthu'r treigladau yn dri dosbarth: y Treiglad Meddal, y Treiglad Trwynol a'r Treiglad Llaes.

Nodir isod y newidiadau a ddigwydd dan amodau treiglo.

Cytsain gysefin	Y treiglad meddal	Y treiglad trwynol	Y treiglad llaes
p	b	mh	ph
t	d	nh	th
c	g	ngh	ch
b	f	m	
d	dd	n	
g	-	ng	
ll	l		
rh	r		
m	f		

Dan amodau'r treiglad llaes ychwanegir *h-* at ffurfiau sy'n cynnwys llafariad mewn safle dechreuol (gw. **§ 79**).

Gydol yr adrannau ar y treigladau nodir y ffurf gysefin rhwng cromfachau ar ochr dde'r ddalen.

Y Treiglad Meddal

§ 2 Treiglir enw benywaidd unigol yn dilyn y fannod:

y gyllell	*(cyllell)*
y bont	*(pont)*
y fam	*(mam)*
y fuwch	*(buwch)*
o'r ardd	*(gardd)*
i'r dref	*(tref)*
y ddawn	*(dawn)*

Yr ornest rhwng Cymru a'r Alban ar Faes Sain Helen   *(gornest)*
(Myrddin ap Dafydd, 1995: 102)

y berthynas ddedwydd rhyngddi hi a'i mam   *(perthynas)*
(Peter Lovesey, 1991: 26)

Mae *pobl* yn enw benywaidd unigol ac fe'i treiglir i'r feddal yn dilyn y fannod:

y bobl   *(pobl)*

Mae'r treiglad a ddigwydd yn ffurf luosog yr enw *pobl* yn dilyn y fannod, sut bynnag, yn hollol eithriadol oherwydd nid yw'n arferol treiglo enw lluosog yn dilyn y fannod:

pobloedd   *y bobloedd*

Treiglir cytsain gysefin ansoddair yn dilyn *pobl, pobloedd* (gw. § 4):

pobl dda	*(da)*
pobloedd fawrion	*(mawrion)*
pobl ifanc ddireidus (Robin Llywelyn, 1995:50)	*(direidus)*
pobl lwythog (Esia, 1:4)	*(llwythog)*
pobl farw (Angharad Tomos, 1997: 117)	*(marw)*

Digwydd y gysefin yn ogystal yn dilyn *pobloedd*.

Treiglir y lluosog deuol yn dilyn y fannod:

gefell   *yr efeilliaid*   *(gefeilliaid)*

Prin yw'r enghreifftiau o'r lluosog deuol.

Ni threiglir *ll-*, *rh-*, mewn enwau benywaidd unigol yn dilyn y fannod:

y llysywen
o'r llyfrgell
i'r rhyd
y rhaff

Enwau benywaidd unigol yn cael eu rhagflaenu gan y fannod yw amryw enwau lleoedd, mynyddoedd etc., ac fe'u treiglir yn feddal:

Y Waun, Y Gelli, Y Foel, Yr Wyddfa, Y Fan

Yn gyffredin digwydd y treiglad er nad yw'r fannod yn cael ei dynodi:

Felindre, Faerdre, Gilfach-wen, Waun-fawr

Weithiau mae'r treiglad yn afreolaidd gan nad yw'r fannod yn ddealledig o flaen yr enw benywaidd unigol:

Gelli'r Ynn, Waunarlwydd, Waunifor, Gorseinon

Y ffurfiau cysefin yw *Celli, Gwaun, Cors.*

Noder
Mae'r enwau benthyg benywaidd yn *g-*, sef *gêm, gôl,* yn gwrthsefyll treiglo.

§ 3 Treiglir y rhifol gwrywaidd *dau* a'r rhifol benywaidd *dwy* yn dilyn y fannod:

y ddau	*(dau)*
y ddau afal	*(dau)*
y ddwy	*(dwy)*
y ddwy chwaer	*(dwy)*

Treiglir *deu-* a *dwy-* , yn ogystal, mewn enwau cyfansawdd:

y ddeuddyn	*(deuddyn)*
y ddwyfron	*(dwyfron)*

Noder
Mae *deuddeg* a *dwylo* yn gwrthsefyll treiglo yn dilyn y fannod: *y deuddeg, y dwylo.*

§ 4 Treiglir ansoddair yn dilyn enw benywaidd unigol:

iaith fratiog	*(bratiog)*
rhaglen ddiddorol	*(diddorol)*
triniaeth lawfeddygol	*(llawfeddygol)*
gwraig olygus	*(golygus)*
cynhadledd wyddonol	*(gwyddonol)*

lori drom   *(trom)*
(Angharad Jones, 1995: 30)

dwy gyfrol ragorol   *(rhagorol)*
(*Taliesin*, Gaeaf 1994:103)

cynghanedd drawiadol   *(trawiadol)*
(J. Elwyn Hughes, 1995: 2)

pob cyfrol flaenorol   *(blaenorol)*
(*Taliesin*, Gaeaf 1994: 105)

iaith raenus   *(graenus)*
(J. Elwyn Hughes, 1995: 159)

Pan fo mwy nag un ansoddair yn dilyn enw benywaidd unigol treiglir yr holl ansoddeiriau yn y gyfres:

cyfres fer flasus	*(ber, blasus)*
merch fach welw	*(bach, gwelw)*
cath ddu raenus	*(du, graenus)*
neuadd fach, dwt, gynnes	*(bach, twt, cynnes)*

dynes dywyll lygatddu   *(tywyll, llygatddu)*
(Angharad Jones, 1995: 10)

merch bengoch fywiog oedd Sally   *(pengoch, bywiog)*
(Peter Lovesey, 1991: 46)

magwraeth wledig ddi-drimins   *(gwledig, di-drimins)*
(Martin Davies, 1995: 15)

merch fechan olau, a dynes dal, dywyll   *(bechan, golau, tal, tywyll)*

(Angharad Jones, 1995: 26)

blwyddyn ddiddrwg, ddidda   *(diddrwg, didda)*
(J. Elwyn Hughes, 1995: 63)

10

llechen fawr lefn　　　　　　　　　　　　　*(mawr, llefn)*
(Robin Llywellyn, 1995: 63)

Môn dirion, ddirgel, dwyllodrus, ddiddorol!　　　*(tirion, dirgel,*
　　　　　　　　　　　　　　　　　　　　　twyllodrus, diddorol)
(*Barn*, Ebrill 1997: 2)

Weithiau bydd -*d* yn gwrthsefyll treiglo yn dilyn -*s* :

　nos da
　yr wythnos diwethaf

Yn yr iaith ysgrifenedig ni threiglir yr ansoddair *braf* yn dilyn enw benywaidd unigol:

　noson braf

ond ar lafar yn y de clywir treiglo *braf:*

　noswaith fraf　　*(braf)*
　merch fraf　　　*(braf)*

Bydd *braf* yn gwrthsefyll treiglo yn dilyn *cyn* , *mor (*gw. § **6**):

　Mor braf yw clywed emyn Cymraeg
　(Siôn Eirian, 1979: 26-7)

ac yn dilyn *yn* traethiadol:

　Byddai hynny'n braf er cymaint y boen
　(Kate Roberts, 1976: 75)

Mewn rhai ardaloedd yng ngogledd Cymru erys *bach* heb ei dreiglo yn dilyn enw ben. unigol:

　Nest bach
　geneth bach

　draenen bach
　(Robin Llywelyn, 1995: 63)

　yr eneth bach
　(*Taliesin*, Hydref 1995: 109)

11

y ddesg bach
(Robin Llywelyn, 1994: 60)

yr ast bach
(John Ogwen, 1996: 30)

y Blaid bach
(*Barn*, Mawrth 1997: 7)

Gellir treiglo ansoddair yn dilyn enw pan gyfeirir at unigolyn arbennig:

Arthur Fawr	*(Mawr)*
Hywel Dda	*(Da)*
Selyf Ddoeth	*(Doeth)*

Bydd yr ansoddair yn aml yn gwrthsefyll treiglo:

Ieuan Du   Gwilym Tew   Gwenno Llwyd   Rhodri Mawr

Gellir treiglo enw priod yn dilyn enw benywaidd unigol:

Gŵyl Ddewi	*(Dewi)*
Ffair Fartin	*(Martin)*
Eglwys Rufain	*(Rhufain)*

Digwydd enghreifftiau o'r enw priod yn gwrthsefyll treiglo:

Gŵyl Dewi
Ynys Môn
Dinas Dafydd
Dinas Mawddwy

Ar dreiglo'r ansoddair yn dilyn yr enw lluosog *pobloedd* gw. § **2**.

§ **5** Pan ffurfir cyfansoddair treiglir yr ail elfen yn gyffredin:

(i) cyfansoddeiriau clwm:

crom + bach	>	*cromfach*
glas + llanc	>	*glaslanc*
glas + bro	>	*glasfro*
gwen + merch	>	*gwenferch*
haf + dydd	>	*hafddydd*

12

(ii) cyfansoddeiriau llac:

hen + lle	>	*hen le*
gwir + dyn	>	*gwir ddyn*
melys + llais	>	*melys lais*
cryn + llawenydd	>	*cryn lawenydd*
annwyl + gwlad	>	*annwyl wlad*
rhyw + prynhawn	>	*rhyw brynhawn*
cryn + cyfnod	>	*cryn gyfnod*

Ffurfir berfenw cyfansawdd pan roir ansoddair o flaen y berfenw a threiglir y berfenw:

> *Yr oedd yn prysur gerdded y llwybr hwnnw*   *(cerdded)*
> (Rhiannon Davies Jones, 1989: 113)

> *Roedd mam a thad Grace Bithel wedi hen farw*   *(marw)*
> (Martin Davies, 1995: 77)

Digwydd *rhyw* gyda berfenwau i ddynodi bod y weithred a ddisgrifir yn amhendant neu'n amhenodol neu'n aneglur:

> *Rwy'n rhyw led-gredu*
> *bod y methiant hwn yn anochel*   *(lled-gredu)*
> (Bryan Martin Davies, 1988: 12)

> *Byddai Mererid yn aml yn rhyw ganu wrthi ei hun*   *(canu)*
> (Rhiannon Davies Jones, 1989: 36)

Treiglir enwau yn dilyn *amryw* (< *am* + *ryw*), *cyfryw* (< *cyf* + *ryw*), *unrhyw* (< *un* + *rhyw*):

amryw bethau	*(pethau)*
y cyfryw rai	*(rhai)*
unrhyw bryd	*(pryd)*
unrhyw ddiddordeb	*(diddordeb)*

Mewn barddoniaeth ac i raddau llai mewn rhyddiaith, gall y rhan fwyaf o ansoddeiriau ragflaenu'r enw a oleddfir ganddynt, ond dyfais lenyddol yw hyn; treiglir yr enw'n feddal:

> *Daw arall ddydd ac arall ddwylo*   *(dydd, dwylo)*
> (Rhiannon Davies Jones, 1977: 172)

13

mawrion weithredoedd Duw　　　　　　　*(gweithredoedd)*
(Act., 2: 11)

Rhyw ddedwydd lonydd le　　　　　　　*(lle)*
Llonydd le ar dyle neu dwyn . . .　　　　　*(lle)*
(David James Jones, Gwenallt (1899-1968))

paradwysaidd fro　　　　　　　　　　　　*(bro)*
(J. Elwyn Hughes, 1995: 164)

byr eiriau　　　　　　　　　　　　　*(geiriau)*
(J. Elwyn Hughes, 1995: 142)

yr afiach gig　　　　　　　　　　　　　　*(cig)*
(Robin Llywelyn, 1995: 55)

dygn dlodi　　　　　　　　　　　　　　*(tlodi)*
(*Taliesin*, Gaeaf 1994: 37)

aml ddarn arall o'r wlad　　　　　　　　　*(darn)*
(J. Elwyn Hughes, 1995: 161)

Weithiau dilynir *aml, llawer, ambell* gan *i* a threiglir yr enw a fydd yn dilyn:

aml i broblem　　　　　　　　　　　　*(problem)*

llawer i brynhawn　　　　　　　　　*(prynhawn)*
(Aneirin Talfan Davies, 1972:237)

ambell i rwystr　　　　　　　　　　　*(rhwystr)*
(Friedrich Dürrenmat, 1958:22)

Treiglir ansoddair sy'n digwydd rhwng y fannod ac enw ben. unigol:

y ddu nos　　　　　　　　　　　　　　*(du)*
y lwyd wawr　　　　　　　　　　　　*(llwyd)*
y brif lyfrgell　　　　　　　　　　　　*(prif)*
y brif adran　　　　　　　　　　　　　*(prif)*

Noder
Ni threiglir *cyfryw* yn dilyn y fannod:

y cyfryw wraig
y cyfryw sillaf

14

Pan fo'r enw wedi ei hepgor ond yn ddealledig erys y treiglad:

y fechan   *(bechan)*
y lonnaf   *(llonnaf)*

§ 6 Treiglir ansoddair yn dilyn *cyn, mor* :

Paid ag edrych mor ddigalon   *(digalon)*
(Martin Davies, 1995: 25)

Mor fawr yw'r llygaid tywyll yn yr wyneb gwelw   *(mawr)*
(Angharad Jones, 1995: 8)

Mor deg oedd ac mor osgeiddig   *(teg, gosgeiddig)*
(Rhiannon Davies Jones, 1987: 171)

Yr oedd gwallt ei ben yn wyn fel gwlan,
cyn wynned â'r eira   *(gwynned)*
(*Y Faner*, 23/30 Rhagfyr 1988: 7)

Roedd ei hatgofion cyn gryfed ag oglau lladd gwair   *(cryfed)*
(Martin Davies, 1995: 76)

Mae'r ansoddair *braf* yn gwrthsefyll treiglo (gw. **§ 4**).

Ni threiglir *ll-, rh-* yn dilyn *cyn, mor*:

mor llydan, mor rhwydd, cyn llawned â, cyn rhwydded â

§ 7 Pan ddefnyddir gradd gyfartal yr ansoddair i fynegi syndod neu ryfeddod, fe'i treiglir i'r feddal onid yw'r cysylltair *a* yn rhagflaenu:

Fyrred yw bywyd !   *(byrred)*

Leied a ddywedir am yrfa S L ym Mhrifysgol Lerpwl !   *(lleied)*
(*Y Faner*, 17 Chwefror 1989: 5)

Er na fwriedir cyfleu syndod bob amser, erys y treiglad:

Gynted ag y deuent i gyffiniau Nant Conwy dechreuai
hewian arni   *(cynted)*
(Rhiannon Davies Jones, 1989: 103)

§ 8 Treiglir enwau ac ansoddeiriau yn dilyn *yn* traethiadol:

Rwy'n ddyn rhesymol (dyn)
(Robat Gruffudd, 1986: 260)

Roedd y caffe'n wag (gwag)
(Emyr Humphreys, 1981: 80)

Yr oedd yn gloff (cloff)
(2 Sam. 9: 13)

Mae hwnnw'n ddatganolwr brwd (datganolwr)
(*Golwg*, 14 Medi 1995: 4)

Mae'n em o stori (gem)
(*Taliesin*, Gaeaf 1995: 133)

Ceir dwy ystyr i *da*,
(i) buddiol, rhinweddol, llesol
(ii) defnyddiol

Yn yr ystyr gyntaf bydd *da* bob amser yn gweithredu yn unol â'r rheol a ddisgrifir yn yr adran hon gan dreiglo'n feddal yn dilyn *yn* traethiadol. Yn yr ail ystyr mae'n gyffredin (yn enwedig ar lafar) hepgor yr *yn* a bydd *da* naill ai'n dewis treiglo neu cadw'r gytsain gysefin:

Beth oedd e (d)da?
Beth ŷn nhw (d)da?

Gellir, yn ogystal, yn yr ail ystyr, ddynodi'r geiryn *yn*, a bydd *da* naill ai'n treiglo neu'n cadw'r gytsain gysefin yn dilyn y geiryn:

I be' mae'r Ddeddf Iaith yn dda? (da)
(*Y Tiwtor*, Hydref 1993: 1)

Be mae'r rhain yn da imi?
(Robin Llywelyn, 1994: 20)

Beth gebyst oedd criw C'mon Midfield yn da yn Llandudno?
(*Barn*, Tachwedd 1995: 21)

Ni threiglir *ll-*, *rh-* yn dilyn *yn* traethiadol:

Byddai'n rhaid iddynt fynd adref
(Kate Roberts, 1972: 23)

16

Yr oeddem ninnau'r plant yn llygaid ac yn glustiau i gyd
(Rhiannon Davies Jones, 1977: 101)

Mae'r ansoddair *braf* yn gwrthsefyll treiglo yn dilyn *yn* traethiadol (gw. § 4).

Noder
(1) Pan fydd *yn* traethiadol yn rhagflaenu'r ansoddair *tyn*, dyblir yr *n* yn y ffurf dreigledig: *tyn*, yn *dynn*,
(2) Cyll yr *yn* traethiadol yn gyffredin ond treiglir cytsain gysefin y dibeniad: *Byddwch ofalus* (Deut. 4: 23); *Nid yr oedrannus yn unig sydd ddoeth* (Job, 32: 9); *Byddwch wyliadwrus* (Math. 25: 13).

§ 9 Pan ddefnyddir gradd eithaf yr ansoddair yn adferfol, fe'i treiglir:

Dere draw gyntaf y gelli di   *(cyntaf)*

Mae hi'n aros gyda ni fynychaf   *(mynychaf)*

Gall enw yn dilyn y radd eithaf naill ai dreiglo'n feddal neu gadw'r gytsain gysefin:

Ardderchocaf frenin . . . ac anrhydeddus ddeiliaid   *(brenin)*
(Rhiannon Davies Jones, 1988: 177)

eithaf Gymro   *(Cymro)*

Mynnai rhai iddo ganu'r 'Deryn Pur' yn olaf cân ar ei wely angau.
(Hywel Teifi Edwards, 1989: 132)

eithaf peth

Bydd *prif* bob amser yn rhagflaenu'r enw ac yn peri treiglad, ond ni threiglir enw ar ôl *cyntaf*:

prif ddynion   *(dynion)*

y cyntaf peth

17

§ 10 Treiglir gradd eithaf yr ansoddair yn dilyn *po* :

gorau po gyntaf (cyntaf)

Po fwyaf o ddiod a gaiff mwyaf
o grefydd fydd yn ei siarad (mwyaf)
(John Bunyan, 1962: 42)

Cadarna'r mur po arwa'r wal (garwa)
(Dihareb)

Po dynnaf fo'r llinyn, cyntaf y tyr (tynnaf)
(Dihareb)

Po fwyaf y caent eu gorthrymu mwyaf yn y byd (mwyaf)
yr oeddent yn amlhau ac yn gorthrymu
(Ex. 1: 2)

Gorau po gyntaf yr wynebwn y sefyllfa'n onest (cyntaf)
(John Jenkins, 1978: 24)

Gynt dilynid *po* gan y gytsain gysefin:

Po callaf y dyn anamlaf ei eiriau
(Dihareb)

Po mwyaf y gwaharddodd efe iddynt,
mwy o lawer y cyhoeddasant
(Mc. 7: 36) (argraffiad 1955)

§ 11 Treiglir enw ben. unigol yn dilyn y rhifol *un*:

un ferch (merch)
un gath (cath)
un wraig (gwraig)

Nid un gyfran yn unig a gewch (cyfran)
(Josh. 17: 17)

un wreichionen strae (gwreichionen)
(Martin Davies, 1995: 114)

Ni threiglir *ll-*, *rh-* mewn enw ben. unigol ar ôl *un*:

un llaw
un rhwyd

Pan fo *un* yn rhagflaenu ansoddair a ddilynir gan enw ben. unigol, treiglir yr ansoddair a'r enw:

un ryfedd awr	*(rhyfedd)*
un brif dref	*(prif, tref)*

Pan fo *un* yn cynrychioli enw ben. unigol, treiglir yr ansoddair sy'n dilyn:

Heblaw bod yn gyfrol bwysig, mae hon hefyd
yn un ddiddorol i bori ynddi *(diddorol)*
(Aneirin Talfan Davies, 1976: 200)

un ryfedd yw hi *(rhyfedd)*

Pan fo *un* yn cyfleu'r ystyr 'yr un fath', treiglir enw gwr. unigol neu enw ben. unigol sy'n dilyn:

Yr oedd tyrfa o Siapaneaid o'r un feddwl â mi *(meddwl)*
(*Y Faner*, 16 Chwefror 1990: 9)

Mae'r plentyn yr un ben â'i dad *(pen)*

Pan fo *un* yn cyfleu'r ystyr 'yr union un' treiglir enw ben. sy'n dilyn:

Ceir glosau Cymraeg o'r un ganrif
ar eiriau Lladin yn y testun *(canrif)*
(Geraint Bowen, 1970; 16)

Rhannai'r ddau yr un uchelgais, yr un gwely,
a'r un gred ddiniwed *(cred)*
(Eigra Lewis Roberts, 1981: 53)

Bydd *ll-*, *rh-* yn gwrthsefyll treiglo: *Hwylient ar fwrdd yr un llong.*

§ 12 Treiglir enw ben. unigol yn dilyn y rhifol ben. *dwy*:

dwy ferch	*(merch)*
dwy lwy	*(llwy)*
dwy gath	*(cath)*

19

§ 13 Treiglir enw gwr. unigol yn dilyn y rhifol *dau*:

dau frawd	*(brawd)*
dau lo	*(llo)*

Roedd dau reswm dros gefnu ar y mudiad cenedlaethol (rheswm)
(*Golwg*, 14 Medi 1996: 5)

Gall rhai ffurfiau wrthsefyll treiglo ar ôl *dau* :

dau cant   deucant   (hefyd *dau gant*)
dau pen   deupen   (hefyd *dau ben*)
dau tu   deutu
         deuparth
dau cymaint

§ 14 Gall rhifol ddilyn enw lluosog a threiglir y rhifol hwnnw; dyfais lenyddol yw hyn ac ni ddigwydd yn gyffredin:

tafodau fil	*(mil)*
brodyr dri	*(tri)*

Treiglir enw sy'n dynodi 'nifer' yn dilyn enw lluosog:

cwestiynau lu	*(llu)*
gofidiau fyrdd	*(myrdd)*

§ 15 Treiglir trefnolion ben. yn dilyn y fannod:

y bedwaredd bennod	*(pedwaredd)*
y drydedd salm ar hugain	*(trydedd)*
y bedwaredd	*(pedwaredd)*
y drydedd ar hugain	*(trydedd)*

§ 16 Treiglir enwau gwr. ac enwau ben. yn dilyn y trefnol *ail*:

ei ail wraig	*(gwraig)*
yr ail blentyn	*(plentyn)*
ail gar	*(car)*

Treiglir enw ben. unigol yn dilyn y trefnolion eraill:

y drydedd ferch	*(merch)*
y bedwaredd gaseg	*(caseg)*
y bumed waith	*(gwaith)*
y seithfed ddafad ar hugain	*(dafad)*
pumed car	
y trydydd mab	

§ 17 Treiglir enw yn dilyn y rhagenw blaen 2il unigol *dy*, a'r rhag. blaen 3ydd unigol gwr. *ei* :

Sut mae dy dad?   *(tad)*
(Gweneth Lilly, 1984: 24)

Beth yw dy wleidyddiaeth di Owen?   *(gwleidyddiaeth)*
(Emyr Humphreys, 1986: 21)

Fe hoffai fynd i newid ei grys   *(crys)*
(R. Cyril Hughes, 1976: 201)

ei ddoluriau   *(doluriau)*

§ 18 Treiglir enw yn dilyn y rhag. mewnol 2il unigol *'th*, a'r rhag. mewnol genidol 3ydd unigol gwr. *'i, 'w* :

Mae dy lygaid di mor las a'th wallt di mor felyn   *(gwallt)*
(Rhiannon Davies Jones, 1985: 6)

Casâf Ef a'i ddeddfau a'i bobl   *(deddfau, pobl)*
(John Bunyan, 1962: 36)

Ces beth gwaith i'w berswadio   *(perswadio)*
(Robat Gruffudd, 1986: 241)

§ 19 Treiglir enwau yn dilyn *wele, dyma, dacw, dyna*:

Wele ragflas o rai o gredoau pwysicaf Luther   *(rhagflas)*
(R. Geraint Gruffydd, 1988: 4)

Dyma eiriau o lythyr gan Humphrey Foulks　　　　*(geiriau)*
(Gwyn Thomas, 1971: 22)

Dacw lyn, dacw fynydd　　　　*(llyn, mynydd)*

Dyna gri llawer y dyddiau hyn　　　　*(cri)*
(*Y Faner*, 14, Ebrill 1989: 4)

Wele gynghanedd lusg, od iawn ei hacennu　　　　*(cynghanedd)*
(J. Elwyn Hughes, 1991: 48)

Dyna gariad bach pert　　　　*(cariad)*
(*Golwg*, 20 Mai 1993: 14)

§ 20　Treiglir enw yn dilyn y rhagenw gofynnol *pa*:

Pa ddewis sydd gan ddyn . . .?　　　　*(dewis)*
(Eigra Lewis Roberts, 1988: 81)

Pa fath o bobl, yng nghanol yr unfed ganrif ar bymtheg,
a oedd yn awyddus i ddysgu Cymraeg　　　　*(math)*
(Geraint Bowen, 1970: 39)

§ 21　Treiglir enw yn dilyn *naill*:

Mae'r naill genhedlaeth yn dilyn y llall　　　　*(cenhedlaeth)*
(R. Gerallt Jones, 1977: 41)

dyn naill-fraich　　　　*(braich)*

chwaer naill-ran　　　　*(rhan)*

Noder
Ni ddynodir y treiglad yn ail elfen y cyfansoddeiriau *neilltu,*
neillparth.

§ 22　Treiglir yr ail elfen yn y cyfluniadau genidol isod:

(i) enw ben. unigol + enw unigol

carreg filltir　　　　*(milltir)*
cot law　　　　*(glaw)*

(ii) enw ben. unigol + berfenw

gwialen bysgota	*(pysgota)*
ffon gerdded	*(cerdded)*

(iii) enw ben. unigol + enw lluosog

sioe flodau	*(blodau)*
siop lyfrau	*(llyfrau)*

(iv) enw ben. unigol + enw yn dynodi sylwedd neu fesur

odyn galch	*(calch)*
potel beint	*(peint)*

§ **23** Treiglir yn dilyn yr arddodiaid *am, ar, at, dan (tan), dros (tros), drwy (trwy), heb, hyd, i, o, gan, wrth:*

am bunt	*(punt)*
ar fwrdd y gegin	*(bwrdd)*
at ddrws y tŷ	*(drws)*
dan fawd y wraig	*(dan)*
dros glawdd yr ardd	*(clawdd)*
drwy ddŵr a thân	*(dŵr)*
heb waith a heb dir	*(gwaith, tir)*
hyd farw	*(marw)*
o law i law	*(llaw)*
fe'm trawyd gan bêl	*(pêl)*
wrth glwyd yr ardd	*(clwyd)*
i ben y wal	*(pen)*

Roedd dau reswm dros gefnu ar y mudiad cenedlaethol (rheswm)
(*Golwg*, 14 Medi 1995:4)

Y mae'r fwyell eisoes wrth wraidd y coed　　　*(gwraidd)*
(Mth. 3: 7-9)

Mae gormod o haul yn effeithio ar ddarlledwyr　*(darlledwyr)*
(*Golwg*, 14 Medi 1995:4)

23

Pa esgus oedd ganddyn nhw am ddiffygion fel hyn   *(diffygion)*
(Robin Llywelyn, 1995: 72)

heb fanteision addysg ffurfiol   *(manteision)*
(Martin Davies, 1995: 15)

Yr oedd yn rhan o eirfa Eic erioed   *(geirfa)*
(Myrddin ap Dafydd, 1995: 103)

cais a sgorasid y Sadwrn cynt ar Faes Caerdydd   *(maes)*
(Myrddin ap Dafydd, 1995: 103)

Noder
Ni threiglir *i mi, i ti, i mewn, i maes.*

§ 24   Treiglir y dibeniad yn dilyn berf seml pan ddigwydd heb y fannod neu air arall o'i flaen, yn syth ar ôl naill ai'r ferf, neu'r ferf + rhag. ategol, neu'r goddrych:

Mi rof fwled trwy dy ben di   *(bwled)*
(Harri Williams, 1978: 67)

Codais goler fy nghot   *(coler)*
(Wil Roberts, 1985: 34)

Mae naw mlynedd er pan gawson ni ddillad newydd   *(dillad)*
(Kate Roberts, 1976: 26)

Cymerodd Gideon biserau'r bobl   *(piserau)*
(*Barn.* 7: 8)

Cafodd pum cwpled, naw englyn a thri englyn cywaith farciau llawn   *(marciau)*
(*Barddas*, Hydref 1993: 2)

Gosododd batrymau   *(patrymau)*
(Myrddin ap Dafydd, 1995: 106)

Cefais wahoddiad i'w pari Nadolig   *(gwahoddiad)*
(Peter Lovesay,1991: 43)

Cefais obennydd dan fy mhen   *(gobennydd)*
(Angharad Tomos, 1997: 93)

Noder

Ni threiglir *pwy, pa* yn safle'r dibeniad nac yn dilyn sangiad:

> *Deallodd pwy oedd yno*
> *Ni wyddai pa ddewis arall i roi iddi*
> *Eglurodd wedyn pwy oedd yno*
> *Ni ddeallai wedyn pa ddewis oedd ganddo*

§ 25 Treiglir y rhagenwau personol annibynnol yn syth ar ôl berf amhersonol:

> *Poenir dithau*   *(tithau)*
>   (Lc. 16: 25)

§ 26 Mewn brawddeg annormal treiglir y ferf yn dilyn y geiryn *a*:

> *Mi a rodiaf yn nerth yr Arglwydd Dduw*   *(rhodiaf)*
>   (John Bunyan, 1962: 39)

> *Chwi a alwyd o'ch gorchwyl*   *(galwyd)*
>   (Mair Wyn Hughes, 1983: 7)

Gellir hepgor y geiryn ond erys y treiglad:

> *Tymor arall ddaw ac fe fydd awdurdodau'r sir*
> *yn dweud fel arfer bod pethau am fod yn wahanol*   *(daw)*
>   (*Golwg*, 8 Medi 1988: 15)

> *Chwi wyddoch pwy ddaw i'ch dadebru*   *(gwyddoch)*
>   (Robin Llywelyn, 1995: 21)

§ 27 Treiglir berfau yn dilyn y rhagenw perthynol *a*:

> *Y dreth bwysicaf, a'r drymaf, oedd y Dreth Dir*
> *a basiwyd yn 1693*   *(pasiwyd)*
>   (Geraint H. Jenkins, 1983: 58)

> *Mi fedr hi lawio faint a fynn hi*   *(mynn)*
>   (*Golwg*, 14 Medi 1995: 3)

Gw. **§ 34** n. 2.

Gall cymal perthynol ddilyn y rhagenwau gofynnol *pwy, beth, pa beth*:

Pwy a ddyrchefid yn esgob yn ei le tybed?	*(dyrchefid)*
(R. Cyril Hughes, 1975: 49)	

Pa beth a roddwch i mi? (1955)	*(rhoddwch)*
Beth a rowch imi? (1988)	*(rhowch)*
(Mth. 26: 15)	

Pwy a all fy meio?	*(gall)*
(J. Elwyn Hughes, 1995: 56)	

Gellir hepgor y rhagenw perthynol ond erys y treiglad:

Pwy all roi cyngor i mi?	*(gall)*
(Emyr Humphreys, 1986: 59)	

Beth ddigwyddodd i'r côr?	*(digwyddodd)*
(Emyr Humphreys, 1986: 98)	

Beth wêl hi?	*(gwêl)*
(Angharad Jones, 1995: 8)	

§ 28 Treigir dibeniad *sydd, sy* pa un ai hepgorir *yn* traethiadol sy'n ei ragflaenu ai peidio:

Ef sydd yn ben	*(pen)*
Hynny sydd orau	*(gorau)*
Yr hyn sydd raid sydd raid	*(rhaid)*
Gwnewch yr hyn sydd dda	*(da)*

§ 29 Mewn brawddeg gypladol o gyfluniad Dibeniad + Traethiedydd + Goddrych treiglir ffurfiau *b-* y ferf *bod* :

Crwydryn fu Liam erioed	*(bu)*
(Gweneth Lilly, 1981: 9)	

Chi fydd y ddwy smartia yn y briodas	*(bydd)*
(Kate Roberts, 1976: 27)	

Crydcymalau fyddai ei ran bellach	*(byddai)*
(Marion Eames, 1982: 11)	

Ofer fai ceisio'i ddilyn o orchest i orchest   *(bai)*
   (Hywel Teifi Edwards, 1989: 113)

Celwyddgwn fu'r Cretiaid erioed   *(bu)*
   (Tit. 1: 12)

§ 30 Treiglir enwau yn dilyn *sut?*:

Sut flwyddyn fyddai hi?   *(blwyddyn)*
   (T. Glynne Davies, 1974: 33)

A sut ornest a welwyd ar y Strade
y Sadwrn diwethaf?   *(gornest)*
   (*Y Faner*, 20 Ionawr 1989: 21)

Sut fagwraeth gâi fy wyrion i?   *(magwraeth)*
   (Emyr Humphreys, 1981: 24)

Sut gymwysterau sydd ganddo?   *(cymwysterau)*

Sut dywydd gawsoch chi ar eich gwyliau?   *(tywydd)*
   (Robin Llywelyn, 1995: 51)

§ 31 Ar lafar ac mewn ysgrifennu anffurfiol gall *sut?*, *pryd?*, *faint?*, *pam?*, beri treiglo'r ferf sy'n dilyn:

Sut fedraist ti dynnu dy hun oddi wrth y moch?   *(medraist)*
   (Jane Edwards, 1976: 78)

Sut fywiwn ni yma fel arall, dŵad?   *(bywiwn)*
   (Robin Llywelyn, 1994: 55)

Ys gwn i sut fyddai hi arnom ni
pe na bai Raleigh wedi gwneud ei ddarganfyddiad   *(byddai)*
   (*Golwg*, 9 Tachwedd 1995: 12)

Pryd fuost ti ym Mhlas Iolyn ddiwethaf?   *(buost)*
   (R. Cyril Hughes, 1975: 49)

Pryd gyrhaeddoch chi?   *(cyrhaeddoch)*
   (Angharad Jones, 1995: 31)

Faint all plentyn dan bump ei gofio?   *(gall)*
(Emyr Humphreys, 1981: 39)

Pam ddyliwn i ysgwyddo'r baich?   *(dyliwn)*
(*Taliesin*, Hydref 1996: 15)

Noder
Bydd *mae* bob amser yn gwrthsefyll treiglo.

§ 32 Treiglir enwau yn dilyn *ychydig*:

ychydig gariad   *(cariad)*
ychydig bethau   *(pethau)*

Treiglir enwau yn dilyn *nemor*, ond bydd ansoddeiriau gradd cymharol yn gwrthsefyll treiglo:

nemor ddyn   *(dyn)*
nemor gwell

§ 33 Treiglir enw sydd mewn cyfosodiad ag enw priod:

Pyfog butain   *(putain)*
(Rhiannon Davies Jones, 1977: 99)

Islwyn Ffowc, lenor   *(llenor)*
(*Y Faner*, 30 Mawrth 1979: 15)

Iago fab Sebedeus   *(mab)*
(Mth. 4: 21)

Ioan Fedyddiwr   *(Bedyddiwr)*

Gwilym druan   *(truan)*

Treiglir *truan*, yn ogystal, yn dilyn enw cyffredin ac yn yr olyniad *druan o*:

Fydd y taeog druan fyth uwch bawd sawdl   *(truan)*
(Rhiannon Davies Jones, 1977: 37)

Druan ohonom, druan o'n plant   *(truan)*
(*Y Faner*, 21 Ebrill 1989: 7)

Druan o'r ffured   *(truan)*
(Robin Llywelyn, 1995: 93)

Pan yw'r enw a gyfosodir yn dilyn rhagenw ategol neu enw cyffredin, fe'i treiglir:

Treuliasom ni blant lawer i brynhawn
hyfryd o haf yno   *(plant)*
(Aneirin Talfan Davies, 1972: 237)

Soniodd ef wedyn am ei gefndyr, feibion
Gruffydd ap Rhys o Ddeheubarth   *(meibion)*
(Rhiannon Davies Jones, 1977: 145)

Gynt treiglid enw person benyw hanesyddol yn dilyn y fannod + enw yn dynodi swydd neu deitl:

y Forwyn Fair/y Wyry Fair   *(Mair)*

Yr arfer bellach, sut bynnag, yw bod yr enw priod yn gwrthsefyll treiglo:

y Frenhines Mari

Gw. yn ogystal § **85,** § **86.**

Eithriad yw'r treiglad yn *yr Arglwydd Dduw.*

§ **34** Mae'r geirynnau rhagferfol cadarnhaol *mi, fe* yn achosi treiglo:

Fe ddywed John Davies, Mallwyd yn ei Eiriadur   *(dywed)*
(Geraint Bowen, 1970: 13)

Fe roddir bloedd pryd bynnag y byddant yn cychwyn
ar eu taith   *(rhoddir)*
(Num. 10: 7)

Mi garwn ymhelaethu arno yn y fan yma   *(carwn)*
(Geraint Bowen, 1970: 36)

Mi fedr hi lawio faint a fynn hi   *(medr)*
(*Golwg*, 14 Medi 1995: 3)

29

Mi wn pwy yr wyf wedi ymddiried ynddo   *(gwn)*
(2 Tim. 1: 2)

Noder
(1) Ar lafar ac mewn ysgrifennu anffurfiol hepgorir y geirynnau rhagferfol yn aml, ond erys y treiglad:

Ddaw hi fory   *(daw)*

Gyfieitha' i hwnnw   *(cyfieitha')*

Ddeuda i be . . . be am i ni fynd i rwla arall   *(deuda)*
(Angharad Jones, 1995: 53)

(2) Pan dreiglir *gyr* 3ydd un. pres. myn. *gyrru*, dyblir yr *r* yn y ffurf dreigledig:

fe yrr   a yrr

§ 35   Treiglir *peth, llawer, pob, cwbl, dim* pan ddigwyddant yn adferfol:

Mae hi'n well beth na ni	*(peth)*
Nid yw ef gartref lawer	*(llawer)*
Mae ef yn galw yma bob dydd	*(pob)*
Mae'n gwbl ddiwerth	*(cwbl)*
Gweithiodd ddigon	*(digon)*
Nid af i ddim i'r dref	*(dim)*

Ar lafar ac mewn ysgrifennu anffurfiol gall *ddim*:

(i)   negyddu brawddeg gypladol:

Ddim pysgotwr oedd y diawl
(*Y Faner*, 25 Mai 1979: 18)

Ddim plentyn ydi o
(Angharad Jones, 1995: 137)

(ii)   negyddu brawddeg gymysg:

Ddim arna' i y mae'r bai eu bod nhw yn y militia
(T. Glynne Davies, 1974: 244)

(iii) nodi ymateb negyddol:

Does dim ots 'da chi yfed ar fy ôl i?
Ddim o gwbl
(John Rowlands, 1978: 82)

Ddywedodd hi pam? gofynnodd Alice
Ddim i mi gofio . . .
(Peter Lovesay, 1991: 87)

(iv) ychwanegu at sylw blaenorol:

Mi wna i sgwennu—ddim bob dydd cofia
(T. Glynne Davies, 1974: 376)

Na Gwen! I'r dde! Ddim i'r chwith
(Angharad Jones, 1995: 137)

Doedd dim wedi digwydd. Ddim eto. Ddim tan nos yfory
(Angharad Jones, 1995: 152)

Gall *ddim ond* ddigwydd mewn ysgrifennu anffurfiol:

Wyt ti'n mynd i aros efo ni yn hir, hir y tro yma, Dad?
Ddim ond tan ddydd Llun
(Gwyn ap Gwilym, 1979: 24)

Dim ond sy'n gyffredin yn yr iaith safonol:

Dim ond unwaith y bûm mewn ysbyty yn glaf
(John Gruffydd Jones, 1981: 11)

Ysywaeth, dim ond y deuddeg salm gyntaf a rhan o'r drydedd ar
ddeg a lwyddodd i'w cael yn barod ar gyfer y wasg
(CLlGC 27, 1991: 9)

Treiglir *dim* yn dilyn yr adferf *odid*:

odid ddim

§ 36 Treiglir rhai berfau syml pan ddynodant amser presennol cyffredinol gan gyfleu barn neu deimlad:

Mae'r gwynt ar y Tywyn yma yn glustiau
i gyd debyga i!   *(tebyga)*
(Rhiannon Davies Jones, 1977: 26)

31

i gyfeiriad y dwyrain feddyliwn i   *(meddyliwn)*
(J. G. Williams, 1978: 50)

Nid peth felly yw eglwys dybiaf i   *(tybiaf)*
(John Jenkins, 1978: 31)

Dim ond Mr Callaghan a'i gefnogwyr, gredwn i,
fuasai'n dymuno gweld ddoe . . . yn dychwelyd   *(credwn)*
(*Y Faner*, 30 Mawrth 1979: 3)

Saith englyn sydd yn ei gylch—nifer anfoddhaol,
dybiwn i, gan fod ei faes mor eang   *(tybiwn)*
(J. Elwyn Hughes, 1991: 56)

§ 37   Treiglir enwau neu ymadroddion enwol sy'n gweithredu'n adferfol:

Laweroedd o weithiau y bûm i yn addoli yma
yn y goedwig   *(llaweroedd)*
(J. G. Williams, 1978: 85)

Ymwelodd droeon â Gwenfo   *(troeon)*
(Aneirin Talfan Davies, 1976: 2)

Ddeunaw mis yn ôl oedd hi   *(deunaw)*
(Rhiannon Thomas, 1988: 38)

Ganrif yn ôl, lleiafrif bychan a brynai bapur newydd   *(canrif)*
(Geraint Bowen, 1976: 81)

Ganol dydd y cliriodd y glaw   *(canol)*
(W. O. Roberts, 1987: 55)

Ddwywaith llwyddodd i redeg i ffwrdd   *(dwywaith)*
(Martin Davies, 1995: 72)

Cedwir y gytsain gysefin yn ogystal:

Blynyddoedd lawer cyn i'r Dr Nicholas gymryd at y pwnc
'roedd eraill yng Nghymru wedi'u cyffroi gan bosibiliadau
daeareg
(Hywel Teifi Edwards, 1980: 89)

32

Wrth ddynodi amser gyda *dydd, prynhawn, bore*, treiglir yn gyffredin yng ngogledd Cymru ond erys y gytsain gysefin gan amlaf yn y de:

ddydd Llun, dydd Llun

§ **38** Treiglir enwau, ansoddeiriau a berfenwau yn dilyn y cysylltair *neu*:

dyn neu fenyw	*(menyw)*
eithriad neu ddwy	*(dwy)*
melyn neu las	*(glas)*
ennill neu golli	*(colli)*
plant neu rieni	*(rhieni)*

Soniwch am Gymraeg neu Gernyweg
neu Lydaweg   *(Cernyweg, Llydaweg)*
    (Barn, Ebrill 1993:15)

Noder
Ni threiglir berfau yn dilyn *neu*.

Yn aml ychwanegir y cysylltair *ynteu* at *neu*; defnyddir *ynteu*, yn ogystal, heb *neu* yn yr olyniad *ai/naill ai . . . ynteu*. Bydd treiglad yn dilyn *ynteu*:

Ni wn pa un ai rhinwedd ynteu wendid yng ngwaith
T. Rowland Hughes ydyw . . .   *(gwendid)*
    (Geraint Bowen, 1976:122)

Ni wyddwn pa un ai cysgu ynteu grio yr oedd   *(crio)*
    (Rhiannon Davies Jones, 1985: 142)

Fel y troediem yn araf, araf, law yn llaw
neu ynteu fraich ym mraich teimlem wres y cyrff dynol   *(braich)*
    (Rhiannon Davies Jones, 1985: 35)

§ **39** Treiglir enwau sy'n cyflawni swyddogaeth gyfarchol:

Darllenwch hwnna, gyfaill   *(cyfaill)*
    (Alun Jones, 1981: 26)

Wraig, rhaid imi gael fy nghinio ar frys   *(gwraig)*
(Emyr Hywel, 1973-4: 29)

Llefara fardd   *(bardd)*
(Emyr Humphreys, 1986: 42)

Lle ca i barcio, was?   *(gwas)*
(*Taliesin*, Rhagfyr 1992: 52)

Dewch chwi lan fan hyn, frawd, er mwyn inni
gael bwrw 'mlaen yn reit sydyn   *(brawd)*
(*Barddas*, Hydref 1993: 3)

Tewch â'ch blydi lol, ddyn, a gwnewch rhywbeth!   *(dyn)*
(Robin Llywelyn, 1995: 85)

Brysia ddieithryn, mae gen i gwsmeriaid eraill   *(dieithryn)*
(Robin Llywelyn, 1994: 41)

Prin yw'r enghreifftiau o dreiglo enw priod:

Dyna dy dynged, Lywarch   *(Llywarch)*
(*Y Traethodydd* CXLII, 1978: 162)

Ddylan, wyt wyneb mebyd   *(Dylan)*
(*Golwg*, 14 Medi 1995: 12)

Mewn cyd-destun ffurfiol bydd ebychiad yn rhagflaenu'r enw a
threiglir yr enw yn dilyn yr ebychiad:

Y mae'r Duw a addolwn yn alluog i'n hachub,
ac fe'n hachub o ganol y ffwrnais danllyd
ac o'th afael dithau, O frenin   *(brenin)*
(Dan. 3: 17)

O Dduw, yr wyf yn diolch iti nad wyf i fel pawb arall   *(Duw)*
(Lc. 18: 12)

O Frenin, meddai, mae'r hyn a ddywed Carleg yn wir   *(Brenin)*
(Bryan Martin Davies, 1988: 33)

Gellir hepgor yr ebychiad ond erys y treiglad:

Clyw air yr Arglwydd, frenin Jwda   *(brenin)*
(Jer. 22: 3)

Fab dyn, llefara wrth henuriaid Israel　　　　　*(mab)*
(Esec. 20: 30)

Digwydd y gytsain gysefin yn ogystal:

Tŷ Dafydd, fel hyn y dywed yr Arglwydd
(Jer. 21: 12)

Ceid, gynt, y gytsain gysefin yn dilyn yr ebychiad:

O meibion Israel (1955)
(Amos, 2: 11)

Y gytsain gysefin sy'n arferol yn *cariad*.

Paid â phoeni, cariad
(Emyr Humphreys, 1981: 27)

Rydw i'n barod, cariad
(Peter Lovesay, 1991: 45)
Noder
Ni threiglir y rhagenw annibynnol yn dilyn yr ebychiad:

O ti, y decaf o ferched
(Can. 1: 8)

§ 40 Yng Nghymraeg y gogledd treiglir *p-*, *t-*, *c-*, yn dilyn y rhifolion
saith, wyth:

saith bunt	*(punt)*
wyth geiniog	*(ceiniog)*
y saith ornest a gollwyd	*(gornest)*
(*Barn*, Mawrth 1997: 46)	
wyth gant a saith o flynyddoedd	*(cant)*
(Gen. 5: 6)	
saith bâr o'r holl anifeiliaid glân	*(pâr)*
(Gen. 7: 2)	
saith gan milltir	*(can)*
(Robin Llywelyn, 1995: 81)	
saith gysgiadur	*(cysgiadur)*
(*Barddas*, Tachwedd 1992: 10)	

Y gytsain gysefin a geir yn y de fel rheol. Gw. yn ogystal **63**.

35

§ 41 Treiglir *b-, d-, g-, m-, ll-, rh-* yn y ferf yn dilyn y geirynnau rhagferfol negyddol *ni, na:*

Ni feiddiai wnïo na gwai ar y Sul (T. Glynne Davies, 1974: 46)	*(beiddiai)*
Ni ryfygant mwyach (Deut. 17; 13)	*(rhyfygant)*
Na feddylier na welsom chwarae llachar *gan Bontypridd* (*Y Faner*, 3 Chwefror, 1989: 21)	*(meddylier, gwelsom)*
Ni wneuthum gam â thi (1 Sam. 24: 11)	*(gwneuthum)*

Gellir hepgor *ni*, ond erys y treiglad:

Wnes i ddim byd na ddylwn i (Emyr Humphreys, 1981: 287)	*(gwnes)*
Ddwedodd Brian ddim (Martin Davies, 1995: 26)	*(dwedodd)*
Ddaw run o'i thraed hi ar y cyfyl (Jane Edwards, 1980: 53)	*(daw)*
Fydd o ddim mor boenus â hynny (Angharad Jones, 1995: 53)	*(bydd)*
Roddais i'r un awydd o hynny (Eigra Lewis Roberts, 1996: 92)	*(rhoddais)*
Fedrwn i mo'i hateb (Angharad Tomos, 1997: 85)	*(medrwn)*

Bydd *b-* yn ffurfiau'r ferf *bod* yn aml yn gwrthsefyll treiglo yn dilyn *ni, na:*

Ni bu erioed atalfa ar dafod Gwenhwyfar
(Rhiannon Davies Jones, 1987: 159)

Ni bydd nos mwyach
(Dat. 22: 5)

Fe ddywedwyd mwy nag unwaith na bydd bardd
yn gwybod beth y bydd am ei ddweud nes y bydd wedi ei ddweud
(Geraint Bowen, 1972, 35)

gwaith pobl na buont o fewn dau gan milltir i unrhyw ryfel
(*Taliesin*, Rhagfyr 1992: 29)

Paid ag ofni, ni byddi farw
(Barn. 6: 23)

Ni ellir hepgor y geiryn *na* o flaen y modd gorchmynol nac mewn atebion ac fe'i dilynir gan dreiglad.

Mewn ysgrifennu diweddar *na* a geir yn arferol mewn cymalau perthynol ond digwydd *ni* yn ogystal, yn enwedig mewn testunau Beiblaidd:

Dros amser y mae'r pethau a welir, ond
y mae'r pethau na welir yn dragwyddol (1988)   *(gwelir)*
Y pethau a welir sydd dros amser, ond
y pethau ni welir sydd dragwyddol (1955)   *(gwelir)*
(2 Cor. 4: 18)

Elfen annisgwyl yn y frwydr oedd darganfyddiad
Dilys ei bod yn mwynhau dysgu a bod ganddi ddawn
ni wyddai amdani cynt i drosglwyddo gwybodaeth
i bobl ifanc   *(gwyddai)*
(Rhiannon Thomas, 1988: 40)

Yn dilyn *ni*, treiglir *rhaid, gwiw, gwaeth*:

Ni raid ond ei chymharu â Llywelyn Fawr,
Thomas Parry   *(rhaid)*
(Geraint Bowen, 1976: 229)

Ni waeth pwy oedd wrth y llyw   *(gwaeth)*
(*Y Faner*, 9 Medi 1988: 9)

Ni wiw   *(gwiw)*

Gellir hepgor *ni* o flaen *gwaeth, gwiw* ond erys y treiglad. Weithiau dynodir bod *ni* wedi ei hepgor gan gollnod:

> *'Waeth inni heb â sôn am geinder*
> *y mynegiant yn unig*　　　　　　　　　　　　　　　　　*(gwaeth)*
> (Geraint Bowen, 1976: 33)

> *Waeth mor chwerw ac annymunol ei feirniadaeth,*
> *ni phetrusai ynghylch ymosod yn gyhoeddus arnynt*　　　*(gwaeth)*
> (Geraint Jenkins, 1980: 109)

> *Wiw dechrau sôn am theatr fach y Pike*　　　　　　　　*(gwiw)*
> (*Golwg*, 21 Rhagfyr 1989: 21)

> *Wiw i neb ddweud dim*　　　　　　　　　　　　　　　*(gwiw)*

Gall *nid* ddigwydd yn ogystal o flaen *rhaid, gwiw, gwaeth*:

> *Nid rhaid treulio amser yn y ddarlith hon i ddangos . . .*
> (Geraint Bowen, 1976: 351)

> *Nid gwiw poeni am yfory*
> (Rhiannon Davies Jones, 1985: 30)

> *Nid gwaeth gennym*

§ 42 Treiglir *mawr* mewn cyd-destun negyddol:

> *Doedd fawr o wahaniaeth beth a ddigwyddai iddo*　　　*(mawr)*
> (John Rowlands, 1978: 8)

> *Dydy picwarch fawr o arf*　　　　　　　　　　　　　*(mawr)*
> (Emyr Hywel, 1973-4: 34)

> *'Does fawr o wreiddioldeb yn y rhain ychwaith*　　　　*(mawr)*
> (J. Elwyn Hughes, 1991: 48)

> *Doedd gan Scilingo fawr o barch at adar*　　　　　　　*(mawr)*
> (Robin Llywelyn, 1995: 73)

> *'Doedd Gruff fawr gwell na fawr gwaeth ei fyd*　　　　*(mawr)*
> (T. Glynne Davies, 1974: 194)

§ 43 Treiglir ansoddair pan yw'n gweithredu'n adferfol yn dilyn ansoddair arall:

gwych ryfeddol	*(rhyfeddol)*
cywir ddigon	*(digon)*

Pan ddefnyddir ansoddair yn adferfol o flaen ansoddair arall, neu o flaen berfenw neu ferf, treiglir ail elfen y cyfansoddair llac:

gwir fawr	*(mawr)*
pur ddieithr	*(dieithr)*
prysur weithio	*(gweithio)*

§ 44 Treiglir yn dilyn yr adferfau *go, rhy, hollol, lled, reit, cwbl, gweddol*:

Croeso go gam a gâi gan ei lysfam	*(cam)*
(R. Cyril Hughes, 1975: 270)	
cerdd go gignoeth	*(cignoeth)*
(Aneirin Talfan Davies, 1972: 6)	
dynes hollol wahanol	*(gwahanol)*
(Kate Roberts, 1972: 22-3)	
Roedd yntau'n rhy wan i frwydro'n ôl	*(gwan)*
(John Rowlands, 1965: 7)	
lled dda	*(da)*
reit ddel	*(del)*
cwbl gelwyddog	*(celwyddog)*
gweddol beryglus	*(peryglus)*

Bydd *ll-, rh-*, yn gwrthsefyll treiglo yn dilyn yr adferf *pur*:

pur llwyddiannus	
pur rhydlyd	
pur dda	*(da)*

Noder
Bydd *go* yn gwrthsefyll treiglo yn rheolaidd:
(i) yn dilyn e b u.: *gwraig go gymwynasgar; cantores o ddawnus.*
(ii) yn dilyn *yn* traethiadol: *Mae'n go lew arni; mae'r tywydd yn o lew.*

§ 45 Treiglir berf yn dilyn y geiryn gofynnol *a* mewn cwestiynau uniongyrchol ac anuniongyrchol:

> *A rodia dau ynghyd, heb fod yn gytûn (1955)*   *(rhodia)*
> *A gerdda dau gyda'i gilydd heb wneud cytundeb (1988)*   *(cerdda)*
> (Amos 3: 3)

> *A wrthodwn yr abwyd?*   *(gwrthodwn)*
> (*Y Faner*, 4 Awst 1989: 5)

> *Aeth Mati ymlaen wedi iddi oedi tipyn, fel petai*
> *heb fod yn sicr a ddylai ddweud*   *(dylai)*
> (Kate Roberts, 1976: 26)

Gellir hepgor y geiryn, yn enwedig ar lafar ac mewn ysgrifennu anffurfiol, ond erys y treiglad:

> *Ddoi di acw i swper?*   *(doi)*
> (Emyr Humphreys, 1986: 45)

> *Ga' i fynd i brynu cacen fêl?*   *(ca')*
> (Gweneth Lilly, 1984: 10)

> *Fentrwch chi ddod gyda mi am dro?*   *(mentrwch)*
> (Angharad Jones, 1995: 7)

§ 46 Treiglir *b-, d-, g-, m-, ll-, rh-* yn dilyn y geiryn gofynnol *oni* :

> *Oni fuom yn proffwydo yn dy enw di . . . ?*   *(buom)*
> (Mth. 7: 22)

> *Oni ddylem ofyn pam y mae cynifer o bobl*
> *yn camddefnyddio alcohol?*   *(dylem)*
> (*Y Faner*, 14 Ebrill 1989: 8)

§ 47 Treiglir berfau yn *b-, d-, g-, m-, ll-, rh-*,yn dilyn y cysyllteiriau *hyd oni* ac *oni*:

Yr ydym ar dir sigledig wrth weld arwyddion o dafodiaith
neilltuol yn ei eirfa hyd oni wyddom ragor am
iaith ardal Rhydcymerau   *(gwyddom)*
(*Llên Cymru*, 17: 292)

Oni lwydda i ennyn ein diddordeb yn y cymeriadau
. . . y mae'n methu   *(llwydda)*
(Geraint Bowen, 1976: 106)

Ni châi unrhyw Gymro Cymraeg ddal unrhyw
swydd yn ei wlad ei hun oni allai ddefnyddio'r Saesneg   *(gallai)*
(Geraint H. Jenkins, 1983: 98)

Bydd *b-* yn ffurfiau'r ferf *bod* yn gwrthsefyll treiglo:

Yn y fan honno byddai Tal yr hen of yn eistedd am ryw
gyfran o bob dydd oni byddai'n storm
(Rhiannon Davies Jones, 1977: 40)

Ar lafar ac mewn ysgrifennu anffurfiol gall *os na* ddigwydd yn hytrach nag *oni* ac fe'i dilynir gan dreiglad:

Os na fedri di gael pàs efo fo, mi ddo i nôl yn gynnar   *(medri)*
(Rhiannon Thomas, 1988: 49)

Dywedodd wrthi y byddai'n rhaid iddi ei hel oddi yno
os na ostyngai ei llais   *(gostyngai)*
(Jane Edwards, 1976: 151)

Os na roi hi'n ôl, deall di y byddi'n siwr o farw   *(rhoi)*
(Gen. 20: 7)

§ 48 Treiglir berfau yn dilyn y cysyllteiriau *pan, er pan*:

Fe fu amser pan fyddai drysau trên
yn cael eu hagor i chi   *(byddai)*
(Eigra Lewis Roberts, 1988: 82)

Doedd ganddi ddim esgus digonol pan ddaeth
Eurwyn ati   *(daeth)*
(Rhiannon Thomas, 1988: 15)

Mae naw mlynedd er pan gawson ni ddillad newydd   *(cawson)*
(Kate Roberts, 1976: 26)

Mae tridiau er pan fuom ni ar Enlli   *(buom)*
(Rhiannon Davies Jones, 1985: 17)

§ 49 Gellir treiglo *piau* :

Ni biau'r porfeydd gwelltog   *(piau)*
(Rhiannon Davies Jones, 1977: 107)

Ef biau'r wobr   *(piau)*
(J. Elwyn Hughes, 1989: 69)

Digwydd y gytsain gysefin yn gyffredin yn ogystal:

Fi piau hi
(Emyr Humphreys, 1986: 59)

Hon piau'r wobr gyntaf
(J. Elwyn Hughes, 1991: 73)

Myfi piau dial (1988)
Myfi biau dial (1955)
(Heb. 10: 30)

Gellir treiglo enw o wrthrych yn dilyn *piau*:

Fe biau ragair Elfennau Cemeg (1937)
gan R. O. Davies   *(rhagair)*
(Geraint Bowen, 1976: 245)

Digwydd 3ydd person· unigol rai o amserau'r ferf *bod* gyda *piau* er
mwyn dynodi amser gwahanol:

Ymatal oedd biau hi   *(piau)*
(*Taliesin*, Haf 1994: 69)

Chi fydd piau'r dyfodol
(Rhiannon Davies Jones, 1987: 204)

Ar lafar ac mewn ysgrifennu anffurfiol ceir *sy*(*dd*) *piau*, *sy*(*dd*) *biau*:

Prydeindod sydd piau hi o hyd
(*Barn*, Medi 1995: 11)

Ford sydd biau Aston Martin a Lagonda erbyn hyn
(*Y Cymro*, 14 Medi 1994: 20)

§ 50 Treiglir ansoddair a ailadroddir:

Aeth ei gorff yn drymach, drymach   *(trymach)*
(Rhiannon Davies Jones, 1987: 194)

A Dafydd oedd yn myned gryfach, gryfach,
ond tŷ Saul oedd yn myned wannach,
wannach (1955)   *(cryfach, gwannach)*
(2 Sam. 3: 1)

Dewisais bob gair yn fanwl, fanwl   *(manwl)*
(*Y Faner*, 17 Chwefror 1978: 20)

Gwn imi daro arno'n gynnar, gynnar   *(cynnar)*
(*Barddas*, Tachwedd 1993: 11)

§ 51 Gall goddrych *oes* naill ai ddewis treiglo neu gadw'r gytsain gysefin:

(i) treiglo

Nid oes ddiben manylu   *(diben)*
(R. Geraint Gruffydd, 1988: 72)

Nid oes rithyn o wirionedd yn y ddamcaniaeth   *(rhithyn)*
(*Y Faner*, 14 Chwefror 1992: 32)

Nid oes fwriad gennyf i ymddiheuro am hyn   *(bwriad)*
(*Barn*, Hydref 1992: 6/7)

Nid oes ball ar y straeon   *(pall)*
J. Elwyn Hughes, 1995: 152)

(ii) cytsain gysefin

Nid oes cofeb i'r Parchedig John Kenrick
(*Y Faner*, 9 Medi 1988: 13)

Lle nad oes cyfraith, nid oes trosedd yn ei herbyn chwaith
(Rhuf. 4: 15)

§ 52 Prin yw'r enghreifftiau o dreiglo goddrych *oedd* mewn rhyddiaith ddiweddar:

Nid oedd fenyn ar y bara   *(menyn)*
(Geraint Bowen, 1972: 55)

Nid oedd dir annibynnol y gallai dyn sefyll arno   *(tir)*
(R. Geraint Gruffydd, 1988: 117)

Nid oedd ball ar eu syched am wybodaeth   *(pall)*
(Geraint H. Jenkins, 1983: 111)

§ 53 Gellir treiglo *byw, marw,* pan ddigwyddant yn ansoddeiriol heb *yn* traethiadol yn dilyn ffurfiau *b-* y ferf *bod*:

Bu farw'r tywysog Dafydd ap Llywelyn   *(marw)*
(Rhiannon Davies Jones, 1987: 228)

Os buom farw gydag ef, byddwn fyw hefyd gydag ef *(marw, byw)*
(2 Tim. 2: 11)

Bu fyw am ran olaf ei oes fel gwasanaethwr
ein duw Gwyllawg   *(byw)*
(Bryan Martin Davies, 1988: 20)

Digwydd y gytsain gysefin yn ogystal:

Fydd y Diafol ddim byw'n hir 'rwan
(Rhiannon Davies Jones, 1985: 59)

Trefna dy dŷ; canys marw fyddi, ac ni byddi byw (1955)
Trefna dy dŷ; oherwydd 'rwyt ar fin marw; ni fyddi fyw (1988)
(Isa. 38: 1)

§ 54 Gall *rhaid* naill ai ddewis treiglo neu gadw'r gytsain gysefin yn dilyn ffurfiau'r ferf *bod*:

(i) treiglo

Nid oedd raid i neb ymboeni am dorri'r glaswellt   *(rhaid)*
(*Y Faner*, 3 Medi 1988: 13)

Bu raid i Gwenhwyfar oddef y surni (*rhaid*)
(Rhiannon Davies Jones, 1987: 213)

Mi fydd raid imi fynd (*rhaid*)
(Eigra Lewis Roberts, 1988: 22)

Onid oes raid imi lefaru (*rhaid*)
(Num, 23: 12)

(ii) cytsain gysefin

Fe fu rhaid i'r gwas mawr, Daniel Lloyd, ei hebrwng tua thre
(T. Llew Jones, 1980: 29)

Bu rhaid i Owen Edwards ddisgwyl yn hir am lyfr Morris Jones
(Geraint Bowen, 1976: 302)

§ **55** Treiglir yn dilyn sangiad:

(i) sangiad o adferf neu ymadrodd arddodiadol

Mae yma ormod o ailadrodd (*gormod*)
(W. Rhys Nicholas, 1988: 108)

Gwelwyd hefyd waith celfydd iawn yn y
gystadleuaeth Caligraffi (*gwaith*)
(*Y Faner*, 25 Awst 1988: 19)

Yr oedd John Prichard Prŷs o Langadwaladr
yn rhagweld yn 1721 dranc yr iaith Gymraeg (*tranc*)
(R. Geraint Gruffydd, 1988: 156)

Mae e'n canmol, ymhlith eraill, Fyrddin a Thaliesin (*Myrddin*)
(Gwyn Thomas, 1971: 60)

(ii) sangiad o arddodiad rhediadol

Mae ganddo rywbeth gwerth ei ddweud,
ac mae ganddo ddychymyg bardd (*rhywbeth, dychymyg*)
(W. Rhys Nicholas, 1977: 31)

Nid oes gennyf ddigon o ddiddordeb
yn y maes hwn (*digon*)
(*Barddas*, Gorff./Awst 1992: 6)

§ 56 Gall *bod* naill ai ddewis treiglo neu gadw'r gytsain gysefin pan fo'n cyflwyno cymal enwol:

(i) treiglo

> *Fe ddywed S. L. fod ei dad yn ofni'r cyhoedd*   *(bod)*
> (D. Tecwyn Lloyd, 1988: 80)

> *Rwy'n credu fod pob un ohonom ni*
> *yn wylo'n fewnol wrth fynd oddi ar y cae*   *(bod)*
> (R. Gerallt Jones, 1977: 42)

> *Efallai fod y frawddeg olaf . . . yn rhoi syniad*
> *i ni am y gwendid*   *(bod)*
> (Geraint Bowen, 1976: 315)

> *Diau fod rhywbeth oeraidd i ni heddiw yn idiom*
> *faterol Gwilym Tawe*   *(bod)*
> (Hywel Teifi Edwards, 1980: 79)

> *Credaf fod y gymhariaeth yn un deg*
> *a chymeradwy iawn*   *(bod)*
> (J. Elwyn Hughes, 1991: 63)

(ii) cytsain gysefin

> *Teimlaf bod y cynllun hwn wedi bod yn gweithio'n*
> *llwyddiannus*
> (W. Rhys Nicholas, 1988: 115)

> *Rwy'n meddwl bod na fwy o obaith yn awr*
> (*Y Faner*, 16 Rhagfyr 1988: 5)

> *Efallai bod gennym ni yn 1989 fwy o achos gobeithio*
> *am heddwch byd nag oedd gan ddarllenwyr 1939*
> (*Y Faner*, 6 Ionawr 1989: 4)

§ 57 Gall *bod* naill ai ddewis treiglo neu gadw'r gytsain gysefin yn dilyn yr arddodiad *er* mewn cymalau adferfol:

(i) treiglo

> *'Roedd y pwyslais yn bennaf ar eirfa er fod*
> *cyfeiriadau at gynaniad, gramadeg a semanteg*   *(bod)*
> (*BBCS*, 33: 29)

O ran arddull a chywirdeb iaith maent oll
yn gymharol gydradd er fod un neu ddau
yn rhy flodeuog *(bod)*
(W. Rhys Nicholas, 1988: 15)

(ii) cytsain gysefin

'*Doedd hi ddim yn hollol olau eto er bod y wawr wedi torri*
(Friedrich Dürrenmatt, 1958: 14)

Er bod peth beirniadu arno yma a thraw, gwyddent
hwy ei gyfeillion fod gwreiddyn y mater ganddo
(Jane Edwards, 1976: 132)

§ 58   Gall *bod* naill ai ddewis treiglo neu gadw'r gytsain gysefin yn
dilyn *oni bai* mewn cymal adferfol:

(i) treiglo

Oni bai fod argraffwyr Cymreig yn Amwythig
wedi mabwysiadu'r dull hwn ni fuasai'r fasnach
lyfrau Gymraeg wedi ffynnu cystal *(bod)*
(Geraint H. Jenkins, 1980: 92)

Taflodd yr anghenfil bicell danllyd at ei fynwes,
a buasai wedi ei drywanu oni bai fod gan y pererin
darian *(bod)*
(John Bunyan, 1962: 36)

(ii) cytsain gysefin

Fe fyddai wedi aros mwy ym Motryddan oni bai bod arni
eisiau bod yn Lleweni i groesawu ei thad
(R. Cyril Hughes, 1975: 19)

Nid aethai Nan Nan ar gyfyl bwthyn Magda oni bai bod
y siwrnai i fyny'r Garthau yn dechrau mynd yn drech na hi
(Rhiannon Davies Jones, 1977: 49)

47

§ 59 Gall *bod* naill ai ddewis treiglo neu gadw'r gytsain gysefin yn dilyn yr amhersonol:

(i) treiglo

   Gwelir fod Morris Jones yn rhoi pwyslais mawr
   ar Gymraeg llafar   *(bod)*
   (Geraint Bowen, 1976: 317)

   Noder fod Goronwy Owen yntau yn gweld yr un mor gyfan
   â'r beirdd Methodistaidd   *(bod)*
   (R. Geraint Gruffydd, 1988: 100)

(ii) cytsain gysefin

   Ofnid bod y sefyllfa'n ffrwydrol
   (Geraint Jenkins, 1983: 92)

   Cyfrifid bod ysgrifennu'n gyhoeddus am adloniant
   fel hyn hyd yn oed yn waeth tramgwydd na mynd
   i'w weld a'i fwynhau
   (D. Tecwyn Lloyd, 1988: 77)

§ 60 Treiglir y berfenw yn dilyn yr arddodiad *i* mewn cymal enwol:

   Carem ichi dderbyn y gwniadur hardd hwn   *(derbyn)*
   (Lewis Carroll, 1982: 29)

   Gwyddai iddo gael ei eni yn gymharol olygus   *(cael)*
   (Rhydwen Williams, 1979: 8)

§ 61 Treiglir yn dilyn yr arddodiad *i* mewn cymal adferfol a gyflwynir gan *am, gan, o achos, oherwydd, oblegid, er, wedi, cyn, ar ôl, gyda, erbyn, nes, er mwyn, rhag, oddieithr, ond, hyd nes, tan, efallai, hwyrach, rhag ofn, wrth*:

   Ty'd o'r drws 'na, Bethan, rhag iti gael annwyd   *(cael)*
   (Islwyn Ffowc Elis, 1971: 26)

   Yr oedd yn nosi wrth i Farged gerdded i lawr y
   mymryn stryd at y sgwâr   *(cerdded)*
   (T. Glynne Davies, 1974: 59)

48

Go brin y byddai'n gorwedd arni yn y gwely
rhag ofn iddo rychu'i ddillad   *(rhychu)*
(John Rowlands, 1978: 87)

Yn aml iawn fe wyddai beth oedd neges yr ymofynnnydd
cyn iddo ofyn am ddim   *(gofyn)*
(R. Cyril Hughes, 1975: 133)

Y Treiglad Trwynol

§ 62 Ceir treiglad trwynol yn dilyn y rhagenw blaen 1af unigol *fy*:

fy mhlant	*(plant)*
fy mlodau	*(blodau)*
fy nhraed	*(traed)*
fy nannedd	*(dannedd)*
fy nghar	*(car)*
fy ngwraig	*(gwraig)*

Sibrydiodd yn fy nghlust   *(clust)*
(Rhiannon Davies Jones, 1985: 49)

Wnes i ddim fy nghyflwyno fy hun   *(cyflwyno)*
(Robin Llywelyn, 1995: 97)

Fe laddwyd fy nhad cyn imi gael fy ngeni   *(tad, geni)*
(Rhiannon Thomas, 1988: 35)

Y broblem ddynol oedd fy mhrif ddiddordeb   *(prif)*
(Geraint Bowen, 1972: 135)

Fy mai i oedd o   *(bai)*
(Angharad Tomos, 1997: 100)

Ar lafar collir *f-* yn aml:

'y nhad	*(tad)*
'y nghwrw	*(cwrw)*

Diolch am 'y nhynnu i allan   *(tynnu)*
(Emyr Humphreys, 1986: 44)

'y mai i *(bai)*
(Angharad Jones, 1995: 23)

Collir *'y* yn ogystal ond erys y treiglad:

Codi 'mhen ddaru mi wedyn *(pen)*
(Robin Llywelyn, 1995: 24)

'nghnithder Mari sy'n byw yn Aberystwyth *(cnithder)*
(*Taliesin*, Gaeaf 1994: 61)

Mi rwyt ti'n iawn, mi rydw i wedi 'mrifo . . . *(brifo)*
(Rhiannon Thomas, 1988: 25)

Dwi'n hoff iawn o 'nghwrw *(cwrw)*
(*Golwg*, 14 Medi 1995: 14)

Tyrd lan i'r gwely 'nghariad i *(cariad)*
(R. Gerallt Jones, 1977: 40)

Paid â chrio 'ngwas i *(gwas)*
(Rhiannon Davies Jones, 1989: 155)

Paid ag edrych mor ddigalon 'nghyw i *(cyw)*
(Martin Davies 1995: 25)

Ar lafar yn y de clywir sylweddoli'r rhagenw gan [ən] a gellir ei ddilyn
gan y treiglad meddal:

| [ən dɑd] | *fy nhad* | *(tad)* |
| [ən vam] | *fy mam* | *(mam)* |

§ 63 Treiglir *blynedd, blwydd, diwrnod* yn dilyn y rhifolion *pum,
saith, wyth, naw, deng, deuddeng, pymtheng, deunaw, ugain, can*
(ynghyd â'u ffurfiau cyfansawdd):

y deng mlynedd ar hugain cyntaf	*(blynedd)*
deugain mlynedd	*(blynedd)*
wyth mlwydd oed	*(blwydd)*

| *wyth niwrnod* | *(diwrnod)* |
| (*CLlGC*, 1991: 4) | |

Yn gyffredin bydd *diwrnod* yn cadw'r gytsain gysefin yn dilyn *pum, saith, wyth*:

> *pum diwrnod / saith diwrnod / wyth diwrnod*

Noder

(1) Mae *saith muwch* (1955) (Gen. 41: 21), *wyth nyn* (1955) (Jer. 41: 15) yn ffurfiau hynafol; *saith buwch, wyth dyn* a geir yn y Beibl Cymraeg Newydd (1988). Mewn Cymraeg Canol byddai'r treiglad meddal yn dilyn *saith*, ond prin yw'r enghreifftiau mewn rhyddiaith ddiweddar: *saith fasgedaid* (Mth. 15: 37), *saith gythraul* (Lc. 8: 2), *saith ben* (Dat. 15: 1), *saith gysgiadur* (*Barddas*, Tachwedd 1992: 10). Gw. yn ogystal **§ 40**.

(2) Eithriad prin mewn rhyddiaith ddiweddar yw gweld enghreifftiau o dreiglo *blynedd, blwydd, diwrnod* yn drwynol ar ôl y rhifolion 1-4: *pedwar niwrnod* (Alan Llwyd, 1991:227)

§ 64 Treiglir *blynedd, blwydd* yn dilyn *un* mewn rhifol cyfansawdd:

un mlynedd ar hugain	*(blynedd)*
un mlwydd ar ddeg	*(blwydd)*

§ 65 Treiglir enwau yn dilyn yr arddodiad *yn*:

yn nyfnder gaeaf	*(dyfnder)*
yn Nhestament Newydd 1567	*(Testament)*
yn nhrefn yr wyddor	*(trefn)*

Try *yn* yn *ym* o flaen *m-* , ac o flaen *mh-*:

ym Maesteg	
ym mhoced ei got	*(poced)*

Try *yn* yn *yng* o flaen *ng-*, ac o flaen *ngh-*:

yng ngwres yr haul	*(gwres)*
yng nghanu'r gynulleidfa	*(canu)*
yng Nghaernarfon	*(Caernarfon)*

Noder

Ar lafar gall y treiglad meddal yn hytrach na'r treiglad trwynol ddilyn yr arddodiad *yn*: *yn Gaergybi, yn boced ei got, yn Gaerdydd*.

Y Treiglad Llaes

§ **66** Ceir treiglad llaes yn dilyn y rhifolion *tri, chwe*:

tri phen	*(pen)*
tri thŷ	*(tŷ)*
tri chae	*(cae)*
chwe phennill	*(pennill)*
chwe thorth	*(torth)*
chwe chath	*(cath)*

Yr oedd tri phorth o du'r dwyrain   *(porth)*
(Dat. 21: 13)

chwe throsgais   *(trosgais)*
(*Y Faner*, 20 Medi 1991: 19)

y tri chasgliad cyntaf a gyhoeddwyd   *(casgliad)*
(Derec Llwyd Morgan, 1983: 17)

daeth allan . . . Goliath, dyn o Gath, ac yn
chwe chufydd a rhychwant o daldra   *(cufydd)*
(1 Sam. 17: 4)

tri charcharor o Parkhurst   *(carcharor)*
(*Barn*, Tachwedd 1995: 6)

§ **67** Treiglir yn dilyn y rhagenw blaen 3ydd unigol ben. *ei* (*'i*):

ei phlant	*(plant)*
ei thad	*(tad)*
ei chartref	*(cartref)*

atgofion am 'i phlentyndod   *(plentyndod)*
(Jane Edwards, 1980: 20)

Ei thrydedd briodas â Morys Wyn o Wydr yw'r pwnc   *(trydedd)*
(W. Rhys Nicholas, 1984: 92)

Medrodd Martha sôn am ei charwriaeth hithau   *(carwriaeth)*
(Kate Roberts, 1972: 25)

§ 68 Treiglir yn dilyn y rhagenw mewnol genidol 3ydd unigol ben. *'i, 'w*:

Yr ail dro yr eisteddodd i synfyfyrio uwchben
ei bywyd yr oedd ugain mlynedd yn hŷn, a'i
phlant i gyd wedi priodi   *(plant)*
(Kate Roberts, 1972: 21)

a rhyw wraig a'i henw Martha, a'i derbyniodd ef
i'w thŷ (1955)   *(tŷ)*
(Lc. 10: 38)

Ddaw run o'i thraed hi ar y cyfyl   *(traed)*
(Jane Edwards, 1980: 53)

Nid oes yma neb i'w chlywed   *(clywed)*
(Eigra Lewis Roberts, 1988: 15)

Cafodd y gwylanod wledd i'w chofio   *(cofio)*
(Rhiannon Thomas, 1988: 39)

§ 69 Treiglir berfau yn *p-, t-, c-*, yn dilyn y geirynnau rhagferfol negyddol *ni, na*:

Ni phlesiai Williams Ddiwygwyr mwyaf
brwd y Coleg   *(plesiai)*
(*Llên Cymru*, 1989: 34)

Ni phrotestiodd Mrs. Rowlands   *(protestiodd)*
(Angharad Jones, 1995: 22)

Ni thâl iddo wneud sant o un ac adyn o'r llall   *(tâl)*
(Geraint Bowen, 1972: 69)

Ni thrig ynddi na dyn nac anifael   *(trig)*
(Jer. 50: 3)

Ni chymerodd Tom ei gyngor   *(cymerodd)*
(T. Llew Jones, 1980: 11)

Ni chefnodd Gwynn Jones ar y gynghanedd erioed   *(cefnodd)*
(*Barddas*, Medi 1993: 7)

Na cheisied neb awgrymu sen
ar gydwybod dyn arall   *(ceisied)*
　　(*Y Faner*, 13 Ionawr 1989: 9)

Na phoenwch, Musus   *(poenwch)*
　　(*Taliesin*, Gaeaf 1994: 54)

Ni ellir hepgor y geiryn *na* o flaen y modd gorchmynol nac mewn atebion; gellir hepgor *ni* ond erys y treiglad:

Chododd o mo'i ben o'r croesair   *(cododd)*
　　(Rhiannon Thomas, 1988: 65)

Chollais i ddim gair o'r llefaru drwy gydol
y perfformiad   *(collais)*
　　(*Golwg*, 9 Tachwedd 1995: 21)

Ches i fawr o dystysgrifau yn ystod fy mywyd   *(ces)*
　　(Angharad Tomos, 1997: 106)

Gw. hefyd § **41**.

§ **70** Treiglir *p-*, *t-*, *c-* yn dilyn y cysylltair cymhariaeth *na*:

Bydd yn haws na phaentio'r wal   *(paentio)*

Go brin y gellid rhoi harddach blodyn ar fedd
T. H. Parry Williams na thrwy ofyn am Soned Goffa iddo   *(trwy)*
　　(W. Rhys Nicholas, 1977: 58)

Gwell mam anghenog na thad goludog   *(tad)*
　　(Dihareb)

Mae'n llai o dreth ar rywun na cheisio barddoni   *(ceisio)*
　　(Geraint Bowen, 1972: 77)

Digwydd *na(c)* yn ogystal yn gysylltair cydradd negyddol a bair dreiglo *p-*, *t-*, *c-*:

Ceir heddiw ddramâu heb iddynt na phlot
na thema bositif   *(plot)*
　　(Geraint Bowen, 1972: 133)

54

Yr wyf yn gwbl sicr na all nac angau nac einioes,nac
angylion, na thywysogaethau . . . na dim byd arall a
grewyd ein gwahanu ni oddi wrth gariad Duw   *(tywysogaethau)*
(Rhuf. 8: 38-9)

Dyna pam hefyd na wnaeth hi ddim i geisio
dod o hyd iddo, na cheisio cael dim at ei chadw   *(ceisio)*
(Kate Roberts 1972: 20)

Hiraethwn am fannau lle nad oedd na gwynt
na therfysg na haint na phla   *(terfysg, pla)*
(Rhiannon Davies Jones, 1985: 78)

§ 71 Yn dilyn yr arddodiaid *â, gyda, tua:*

Gyda chynifer o gystadleuwyr, y mae'n anodd
iawn bod yn bendant ynglŷn â threfn teilyngdod y
cerddi   *(cynifer, trefn)*
(W. Rhys Nicholas, 1977: 14)

Dylai ddod â thurtur   *(turtur)*
(Lef. 1: 14)

Yr oedd yn ei gasáu â châs perffaith   *(câs)*
(Emyr Humphreys, 1986: 113)

Y mae cynllunydd y siaced lwch yn
derbyn tua phum punt ar hugain   *(pum)*
(Geraint Bowen, 1972: 60)

tua thri chant a phedwar ugain   *(tri)*
(*Golwg*, 15 Hydref 1992: 14)

§ 72 Treiglir yn dilyn y cysylltair *a:*

llyfrau a phamffledi a chylchgronau   *(pamffledi, cylchgronau)*
(Geraint Bowen, 1976: 252)

Trwy'r iaith a thrwy'r gymdeithas y rhed y trydan   *(trwy)*
(Ned Thomas, 1985: 7)

Syrthiasant i freichiau ei gilydd a
cherdded allan o'r fynwent gyda'i gilydd   *(cerdded)*
(Geraint Bowen, 1972: 54)

catecism enwog a thra phoblogaidd William Perkins   *(tra)*
(*CLlGC*, 1991: 14)

Cymer ddŵr halen a thân   *(tân)*
(*Barn*, Chwefror, 1995: 27)

clonc a phaned o de   *(paned)*
(*Barddas*, Tachwedd 1993: 1)

§ 73 Treiglir yn dilyn y cysylltair *â*:

Y cyfan wnes i wedyn oedd rhoi ffurf fodern i'r
hanes sydd bron mor hen â phechod ei hun!   *(pechod)*
(Geraint Bowen, 1972: 138)

Yn y diwedd y maent bron mor fyw imi â phobl
rwy'n cyfarfod â hwy bob dydd   *(pobl)*
(Geraint Bowen, 1972: 134)

Cyn goched â thân   *(tân)*

Mor ddi-ddal â cheiliog y gwynt   *(ceiliog)*

§ 74 Treiglir yn dilyn y cysylltair *o*:

Ac o phecha neb, y mae i ni Eiriolwr gyda'r Tad,
Iesu Grist y Cyfiawn (1955)   *(pecha)*
Ac os bydd i rywun bechu, y mae gennym Eiriolwr
gyda'r Tad, sef Iesu Grist, y cyfiawn (1988)
(1 In. 2: 1)

O thyn neb yn ôl, nid yw fy enaid yn ymfodloni
ynddo (1955)   *(tyn)*
(Heb. 10: 38)

O cherwch fi, cedwch fy ngorchmynion (1955)   *(cerwch)*
Os ydych yn fy ngharu i, fe gadwch fy
ngorchmynion i (1988)
(In. 14: 15)

Noder

Disodlwyd *o* gan *os* mewn rhyddiaith ddiweddar, ond ceir *o* yn
argraffiad 1955 o'r Beibl Cymraeg.

§ 75 Treiglir yn dilyn y geiryn gofynnol *oni*:

Oni phroffwydasom yn dy enw di? (1955)   *(proffwydasom)*
(Mth. 7: 22)

Oni thywelltaist fi fel llaeth a'm ceulo fel caws?   *(tywelltaist)*
(Job, 10: 10)

Oni chlywodd am y gamdybiaeth feirniadol
honno a elwir Bwriadaeth   *(clywodd)*
(*Taliesin*, Hydref 1988: 81)

§ 76 Treiglir yn dilyn y cysylltair *oni*:

Bydd yn edifar gennych oni phrynwch
gar dibynadwy   *(prynwch)*

Oni thaenir yr efengyl yn eu plith, sut
y gallant gael eu dwyn i wir ras Duw?   *(taenir)*
(*Llên Cymru*, 1989: 32)

Deddfwyd nad oedd neb i ddal swydd
wladol oni chymunai yn Eglwys Loegr   *(cymunai)*
(Gwyn Thomas, 1971: 19)

Ar lafar ac mewn ysgrifennu anffurfiol gall *os na* ddisodli *oni* a bydd
treiglad yn dilyn:

Os na phlannwch chi'r had yn fuan,
bydd hi'n rhy hwyr   *(plannwch)*

Bydd hi'n rhy hwyr i fynd ar wyliau eleni,
os na threfnwch chi bethau ar unwaith   *(trefnwch)*

Os na chafodd ciwcymbars fawr o le mewn,
llenyddiaeth Gymraeg hyd yma—mae hynny
ar fin newid   *(cafodd)*
(*Golwg*, 6 Hydref 1988: 3)

Dydi pobl ifanc heddiw ddim yn fodlon os na
chân nhw falu a dinistrio   *(cân)*
(Eigra Lewis Roberts, 1980: 93)

§ 77 Treiglir yn dilyn y cysylltair *oni / hyd oni*:

Ni fwytâf hyd oni thraethwyf fy negesau (1955)   *(traethwyf)*
(Gen. 24: 33)

Nid oedd i'w ollwng hyd oni chytunai ddychwelyd   *(cytunai)*

§ 78 Treiglir yn dilyn yr adferf *tra*:

cylchgrawn tra phwysig   *(pwysig)*
(D. Tecwyn Lloyd, 1988: 95)

catecism enwog a thra phoblogaidd
William Perkins   *(poblogaidd)*
(*CLlGC*, 1991: 14)

Mae'n dra thebyg i Joseph ddechrau cael hwyl ar
lameitian tipyn bach unwaith eto   *(tebyg)*
(T. Llew Jones, 1980: 96)

Wŷr Athen, yr wyf yn gweld ar bob llaw
eich bod yn dra chrefyddgar   *(crefyddgar)*
(Act. 17: 22)

§ 79 Ychwanegir *h-* at lafariad:

(i) yn dilyn y rhagenw blaen 3ydd unigol ben. *ei*:

Edrychodd ar ei horiawr   *(oriawr)*
(Eigra Lewis Roberts, 1988: 58)

Saesneg oedd ei hiaith gyntaf   *(iaith)*
(Ned Thomas, 1985: 7)

(ii) yn dilyn y rhagenwau mewnol genidol 3ydd un. ben. *'i, 'w*:

Ymhen hanner awr yr oedd y baned wedi'i hyfed   *(yfed)*
(Rhiannon Thomas, 1988: 106)

Roedd ganddo lawer stori ddifyr i'w hadrodd   *(adrodd)*

(iii) yn dilyn y rhagenwau mewnol gwrthrychol 3ydd unigol gwr. a ben. '*i:*

Fe'i hawdurdodwyd gan yr esgobion . . . yn
unol ag Act 1536   (*awdurdodwyd*)
   (R. Geraint Gruffydd, 1988: 32)

Bu farw Morgan fis Medi 1604 ac
fe'i holynwyd gan Richard Parry   (*olynwyd*)
   (R. Geraint Gruffydd, 1988: 35)

Yn 1703 y cyhoeddwyd G. B. C. ond
fe'i hysgrifennwyd cyn hynny   (*ysgrifennwyd*)
   (Gwyn Thomas, 1971: 19)

(iv) yn dilyn y rhagenw blaen 1af lluosog *ein*:

Y mae hyn yn ein hatgoffa o'r syniad   (*atgoffa*)
   (Geraint Bowen, 1972: 18)

yn ein heglwysi plwy   (*eglwysi*)
   (Rhiannon Davies Jones, 1985: 19)

(v) yn dilyn y rhagenw mewnol 1af lluosog '*n*:

Yr un math o draddodiad yn union yw'n
henglynion beddargraff ni   (*englynion*)
   (W. Rhys Nicholas, 1977: 30)

o'n Hewrop ni   (*Ewrop*)
   (*Barn*, Ebrill 1993: 15)

(vi) yn dilyn y rhagenw mewnol 1af unigol '*m*:

Fe'm hysgogwyd lawer gwaith i
droi i'r Bywgraffiadur   (*ysgogwyd*)
   (*Y Faner*, 26 Awst 1988: 14)

(vii) yn dilyn y rhagenw blaen 3ydd lluosog *eu*:

Fe fu amser pan fyddai drysau trên
yn cael eu hagor i chi   (*agor*)
   (Eigra Lewis Roberts, 1988: 82)

Nid yw'r cyfieithwyr wedi eu henwi
ar yr wyneb ddalen   *(enwi)*
(R. Geraint Gruffydd, 1988: 54)

(viii) yn dilyn y rhagenw mewnol 3ydd lluosog *'u*:

Cwynent am eu blinder a'u hafiechyd   *(afiechyd)*
(Jane Edwards, 1986: 87)

Fedrai hi mo'u hwynebu nhw heno   *(wynebu)*
(Rhiannon Thomas, 1988: 8)

(ix) at *ugain* yn dilyn *ar*:

un ar hugain   *(ugain)*
saith ar hugain   *(ugain)*

§ 80 Yn dilyn y cysylltair *a* gellir adfer a threiglo'r gytsain gysefin
wreiddiol mewn arddodiaid megis *gan* (*can*), *gyda*(*g*) (*cyda*(*g*)), *ger*
(*cer*), *dros* (*tros*), *trwy* (*drwy*), *dan* (*tan*), a'r adferfau *drosodd*
(*trosodd*), *drwodd* (*trwodd*), *draw* (*traw*):

yma a thraw   *(traw)*
drosodd a throsodd   *(trosodd)*
drwodd a thrwodd   *(trwodd)*

Daeth Dilys i gasáu boreau Sul, a chydag amser . . .   *(cydag)*
(Rhiannon Thomas, 1988: 103)

gan y tân a chan y mwg a chan y brwmstan   *(can)*
(Dat. 9: 18)

Gennyt ti y mae'r hawl i'w brynu a chennyf innau wedyn *(cennyf)*
(Ruth, 4: 4)

gerbron fy nhad a cherbron ei angylion ef   *(cer)*
(Dat. 3: 5)

wrth y môr a cherllaw'r Iorddonen   *(cer)*
(Num. 13: 29)

A than ymddiddan ag ef aeth i mewn   *(tan)*
(Act. 9: 27)

60

. . . a thrwy Ddyffryn Clwyd i gyffiniau Wrecsam   (trwy)
(Rhiannon Davies Jones, 1985: 9)

Newch chi ystyried sefyll dros eich hawlia
a thros eich cydweithwyr   (tros)
(*Taliesin*, Hydref 1988: 23)

Nid treiglo cytsain gysefin wreiddiol yn dilyn y cysylltair *a* a geir mewn olyniadau megis *a chwedyn, a chwedi*; mae'n bosibl eu bod yn adlewyrchu camrannu *ac wedyn, ac wedi* a'r *c* wedi glynu wrth *wedyn, wedi*:

yn yr oesoedd cynt a chwedyn   (wedyn)
(R. Geraint Gruffydd, 1988: 148)

A chwedi iddynt blethu coron o ddrain   (wedi)
(Mth. 27: 29)

Treiglo Enwau Priod

§ 81 Mae'n arferol treiglo enw lle Cymraeg yn yr iaith lenyddol:

(i) Meddal

Rhydychen *neu* Gaergrawnt   (Caergrawnt)
(R. Geraint Gruffydd, 1988: 27)

o Wynedd   (Gwynedd)
(*Y Faner*, 11 Tachwedd 1988: 17)

i Arthewin   (Garthewin)
(*Barn*, Tachwedd 1995: 48)

o Frymbo   (Brymbo)
(*Y Faner*, 7 Hydref 1988: 22)

i Ddulyn   (Dulyn)
(*Y Faner*, 4 Mawrth 1988: 15)

o Feirionnydd   (Meirionnydd)
(Gwyn Thomas, 1971: 77)

hyd Gernyw   (Cernyw)
    (Rachel Bromwich a D. Simon Evans 1988: xxvii)

gan Drywerin   (Trywerin)
    (*Barddas*, Mawrth 1993: 2)

(ii) Trwynol

yng Nghaeredin   (Caeredin)
    (*Y Faner*, 19 Chwefror 1988: 20)

ym Mhorthmadog   (Porthmadog)
    (*Y Faner*, 19 Chwefror 1988: 5)

ym Mhenisarwaun   (Penisarwaun)
    (*Golwg* 14 Medi 1995: 4)

yn Nhrefeca   (Trefeca)
    (R. Geraint Gruffydd, 1988: 125)

ym Mronant   (Bronant)
    (*Y Faner*, 4 Mawrth 1988: 15)

yn Ninbych   (Dinbych)
    (*Y Faner*, 6 Ionawr 1989: 8)

(iii) Llaes

Milffwrdd *a* Chaergybi   (Caergybi)
    (Robat Gruffudd, 1986: 236)

Llanbedr Pont Steffan *a* Phumsaint   (Pumsaint)
    (*Y Faner*, 4 Mawrth 1988: 12)

tua Phenyberth   (Penyberth)
    (Rhiannon Davies Jones, 1985: 12)

§ 82 Prin yw'r enghreifftiau o enw Cymraeg ar le yn gwrthsefyll treiglo yn yr iaith lenyddol:

Pennant oedd y rhan uchaf a Carregnewid y rhan isaf
    (*Y Faner*, 19 Chwefror 1988: 12)

Ar dreiglo yn dilyn y cysylltair *a* gw. **§ 72**.
Ar lafar mae'n gyffredin i wrthsefyll treiglo.

§ 83 Gellir treiglo enwau lleoedd tramor neu estron:

(i) Meddal

o Blymouth   (Plymouth)
(Gwyn Thomas, 1971: 71)

o Dunis   (Tunis)
(Gwyn Thomas, 1971: 158)

i Faseru   (Maseru)
(*Y Faner*, 20 Ionawr 1989: 11)

(ii) Trwynol

yng Nghaliffornia   (Califfornia)
(*Y Faner*, 7 Hydref 1988: 16)

ym Mhrâg   (Prâg)
(John Rowlands, 1972)

yng Ngenefa   (Genefa)
(Ned Thomas, 1985: 32)

ym Mlackpool   (Blackpool)
(*Barn*, Ionawr/Chwefror 1992: 82)

(iii) Llaes

Syria *a* Chreta   (Creta)
(Marian Henry Jones, 1982: 125)

Sbaen *a* Chroatia   (Croatia)
(R. Geraint Gruffydd, 1988: 24)

Prydain *a* Phortiwgal   (Portiwgal)
(Marian Henry Jones, 1982: 124)

Ceir enghreifftiau yn ogystal o driglo enwau cyffredin tramor ac estron:

ym moutique Elwyn Mary   (*boutique*)
(Siân Jones, 1990: 14)

y fath fymbo-jymbo   (*mymbo-jymbo*)
(*Barn*, Medi 1993: 42)

Ceir pwyslais mawr ar bidjin   (*pidjin*)
    (Bob Morris Jones, 1993: 253)

y beirniaid a ddewisodd y Volvo FH   (*tryc*)
yn 'Dryc y Flwyddyn (Ewrop), 1994'
    (*Y Cymro*, 2 Mawrth 1994: 16)

i'w hapartment   (*apartment*)
    (Urien William, 1991: 53)

fy mhajamas   (*pajamas*)
    (Robin Llywelyn, 1995: 61)

Cymerodd ddrag hir a chwilio am flwch llwch   (*drag*)
    (Angharad Jones, 1995: 50)

Nid yw cael dynes yn fos yn fêl i gyd   (*bos*)
    (Martin Davies, 1995: 88)

Y mae un o'i chwangos ei hun yn gacwn   (*cwangos*)
efo'r Llywodraeth
    (*Y Cymro*, 17 Ebrill 1996: 3)

dewis o fyrgars   (*byrgars*)
    (*Y Cymro*, 12 Mehefin 1996: 19)

yng nigs y Gymdeithas yn ein gŵyl Genedlaethol   (*gigs*)
    (*Western Mail*, 12 Gorffennaf 1996: 13)

§ 84 Mae peidio â threiglo enw lle tramor neu estron yn gyffredin:

yn Twickenham
    (*Y Faner*, 19 Mawrth 1988: 22)

yn Castelgandolfo
    (R. Geraint Gruffydd, 14 Hydref 1988: 5)

yn Cabŵl
    (*Y Faner*, 3 Chwefror 1989: 10)

yn Berlin
    (Robat Gruffudd, 1986: 12)

yn Plombières
    (Marian Henry Jones, 1982: 260)

o Berlin
(Robat Gruffudd, 1986: 132)

o Glasgow
(Hywel Teifi Edwards, 1980: 63)

i Clapham Junction
(*Y Faner*, 23/30 Rhagfyr 1988: 27)

i Barbados
(Robat Gruffudd, 1986: 128)

yn Bosnia
(*Barn*, Hydref 1993: 4)

yn Düsseldorf
(*Barn*, Mawrth 1995: 42)

am Buenos Aires
(Robin Llywelyn, 1995: 79)

§ 85 Gellir treiglo enwau personol mewn ysgrifennu ffurfiol:

(i) Meddal

i Ddewi Wyn (Hywel Teifi Edwards, 1980: 27)	(Dewi)
i Fathew (R. Geraint Gruffydd, 1988: 49)	(Mathew)
at Ruffudd Hiraethog (Geraint Bowen, 1970: 44)	(Gruffudd)
gan Lew Llwyfo (Hywel Teifi Edwards, 1989: 64)	(Llew)
gan Forgan (Geraint Bowen, 1970: 153)	(Morgan)
i Lyndŵr (*Barddas*, Mawrth 1993: 1)	(Glyndŵr)
o Dwm o'r Nant (*Barn*, Hydref 1993: 11)	(Twm)

(ii) Trwynol

yn Naniel Owen   (Daniel)
(Geraint Bowen, 1972: 176)

yn Nafydd   (Dafydd)
(1 Sam. 18: 16)

(iii) Llaes

Robert *a* Chatrin Llwyd   (Catrin)
(Geraint Bowen, 1970: 33)

Ceiriog *a* Chrwys   (Crwys)
(W. Rhys Nicholas, 1977: 66)

Gwynn Jones *a* Pharry Williams   (Parry Williams)
(Derec Llwyd Morgan, 1972: 13)

Pantycelyn *a* Thwm o'r Nant   (Twm)
(Geraint H. Jenkins, 1983: 12)

gyda Chulhwch   (Culhwch)
(Rachel Bromwich a D. Simon Evans, 1988: xxviii)

Howard Lloyd *a* Charwyn   (Carwyn)
(*Barddas*, Hydref 1993: 4)

§ 86 Bydd enwau personol yn aml yn gwrthsefyll treiglo mewn ysgrifennu ffurfiol:

William Abraham (1842-1922) *neu* Mabon
(D. Tecwyn Lloyd, 1988: 30)

Rhydderch *a* Cynfelin Goch
(Geraint Bowen, 1970: 289)

at Gwalchmai
(Hywel Teifi Edwards, 1980: 7)

gan Morgan Llwyd
(Gwyn Thomas, 1971: 49)

yn Gruffydd Robert
(Geraint Bowen, 1970: 81)

gan Tydfor
(*Barddas*, Hydref 1993: 3)

Ar lafar ac mewn ysgrifennu anffurfiol bydd enwau personol yn gwrthsefyll treiglo yn gyffredin :

yr hen Peilat
(*Y Faner*, 19 Chwefror 1988: 8)

i Dilys
(Rhiannon Thomas, 1988: 16)

i Dafydd Iwan
(*Golwg*, 24 Tachwedd 1988: 24)

yr hen Dewi
(*Y Faner*, 24 Chwefror 1989: 8)

Ar dreiglo yn dilyn arddodiad gw. **§ 23.**
Ar dreiglo enw yn dilyn ansoddair gw. **§ 5.**
Ar dreiglo yn dilyn cysylltair gw. **§ 38, § 72.**

Noder
Fel rheol ni threiglir enwau priod estron sy'n dechrau ag *G*: *i Glasgow, i Guy.*

§ 87 Gellir treiglo enwau ar nwyddau penodol:

racsyn o Gortina	(Cortina)
(*Taliesin*, Hydref 1988: 23)	
hen Gortinas	(Cortinas)
(*Golwg* 17 Chwefror 1988: 23)	
Fe dalwch fwy o lawer am Fercedes	(Mercedes)
(*Y Cymro*, 7 Rhagfyr 1988: 10)	
Peint o seidr, Anne, a Choca Cola	(Coca Cola)
(Angharad Jones, 1995: 55)	
Does un trysor rhagorach	
Yn y byd na Pheugeot *bach*	(Peugeot)
(*Y Cardi*, 20, 1993: 18)	

Digwydd y gytsain gysefin yn ogystal:

yn ei Deimlar *newydd*
(*Taliesin*, Rhagfyr 1988: 61)

Ar dreiglo enw yn dilyn y rhagenw blaen 3ydd unigol gwr. gw. § 17.

§ **88** Mewn ysgrifennu ffurfiol gellir treiglo cytsain gysefin enwau llyfrau, cyfnodolion a gweithiau llenyddol:

(i) Meddal

ei Gerdd Dafod	(Cerdd)
(Geraint Bowen, 1976: 135)	
i Weledigaetheu y Bardd Cwsc	(Gweledigaetheu)
(Geraint Bowen, 1976: 332)	
i Lyfr Gweddi Gyffredin 1621	(Llyfr)
(Geraint H. Jenkins, 1983: 152)	
drwy Eiriadur Prifysgol Cymru	(Geiriadur)
(Geraint Bowen, 1970: 115)	
yr ail Ddrych	(Drych)
(Geraint Bowen, 1970: 269)	

(ii) Trwynol

yng Nghwrs y Byd	(Cwrs)
(*Y Faner*: 6 Ionawr 1989: 8)	
ym Mhurdan Padrig	(Purdan)
(Gwyn Thomas, 1971: 184)	
yn Nhrawsganu Cynan Garwyn	(Trawsganu)
(Rachel Bromwich a D. Simon Evans, 1988: xxiii)	
yn Nrych 1740	(Drych)
(Geraint Bowen, 1976: 269)	

(iii) Llaes

Cymru *a* Chyfres y Fil	(Cyfres)
(Geraint Bowen, 1976: 190)	

Amrywio Rhanbarthol ac Amrywio yn ôl Cywair

§ 89   Cafodd seiniau newydd a ddatblygodd yn y Gymraeg, yn naturiol, ddylanwad ar strwythur yr iaith. Yn orgraff y Gymraeg cynrychiolir y seiniau hyn gan *si, ts* /tʃ/ a *j* /dʒ/. Daeth y seiniau hyn yn rhan o'r gyfundrefn dreiglo ac mewn rhai tafodieithoedd fe'u treiglir i'r feddal ac yn drwynol:

[tʃɒklad	də dʒɒklad	ən nʃɒklad]
sioclad	dy sioclad	fy sioclad

[dʒoni	i ðjoni]
daioni	ei ddaioni

[dʒɒb	ənʒɒb i]
swydd	fy swydd i

[tʃɒp	ənʒhɒp i]
golwyth	fy ngolwyth i

[tʃauns	ail dʒauns]
cyfle	ail gyfle

Yng ngogledd Cymru clywir treiglad llaes o /tʃ/:

[tʃɒklad	i θjɒklad]
sioclad	ei sioclad (hi)

Mewn tafodieithoedd ag *h* yn rhan o'u cyfundrefn seiniau arwyddocaol, gall y rhagenw blaen 3ydd unigol ben. *ei* a seinir *i* [i] a'r rhagenw blaen 3ydd lluosog *eu* a seinir [i] dreiglo / m-, n-, l-, r-, j-, w-, /:

[mam	i mham]
mam	ei/eu mam

[nain	i nhain]
nain	ei/eu nain

[lamp	i lhamp]
lamp	ei/eu lamp

[rɑs	i rhɑs]
ras	ei/eu ras

[jɑr   i hjɑr]
iâr   ei/eu hiâr

[watʃ   i whatʃ]
wats, oriawr   ei/eu hwats, ei/ eu horiawr

Prin yw'r enghreifftiau o sylweddoli'r treigladau a ddisgrifir yn yr adran hon yn ysgrifenedig:

fy nhsips
>(*Y Cymro*, 17 Medi 1997: 7)

§ 90   Mewn cywair llafar anffurfiol ni threiglir mor gyson ag a wneir mewn cywair llafar ffurfiol. Ceir llu o enghreifftiau mewn geirfâu tafodieithol (gw. er enghraifft C. M. Jones, (1987) II: 1-423). Amlygir tuedd gyffelyb mewn ysgrifennu anffurfiol:

Yn anffodus nid yw hinsawdd 100 gradd F. yn cydfynd â Celtiaid gwallt golau
>(*Y Faner*, 2 Rhagfyr 1988: 10)

Gyda côd ysgrifenedig, fe fyddai'n rhaid i ni fod yn ystyriol o leiafrifoedd ethnig eraill yng ngwledydd Prydain
>(*Golwg*, 8 Rhagfyr 1988: 13)

seren llenyddol
>(*Sbec*, 25 Chwefror-3 Mawrth 1989: 8)

tudalen lliw
>(*Golwg*, 1 Gorffennaf 1993: 3)

dwy gyfres mwyaf llwyddiannus mis Awst
>(*Barn*, Hydref 1990: 4)

tri cynhyrchydd
>(*Barn*, Gorffennaf: 1992: 9)

y mynachlog
>(*Barn*, Mehefin 1996: 15)

Ar dreiglo yn dilyn yr arddodiaid *â, gyda* gw. **§ 71**.
Ar dreiglo ansoddair yn dilyn enw ben. unigol gw. **§ 4**.
Ar dreiglo yn dilyn y rhifol *tri* gw. **§ 66**.
Ar dreiglo yn dilyn y fannod gw. **§ 2**.

Treiglo yn dilyn Rhagddodiaid

§ 91 Treiglir yn dilyn y rhagddodiaid isod. Dosberthir y rhagddodiaid yn ôl y treiglad a fo'n eu dilyn. Digwydd y rhagddodiaid hyn yn aml yn elfen gyntaf cyfansoddeiriau clwm a chyfansoddeiriau llac.

§ 92 Treiglad Meddal

ad-, at-: 'ail, drachefn, tra, drwg'

> clwm: *adladd, adlais, adlam, atal, atgof, atgas, adfyd, adflas.*
> llac: *adennill, adolygu, ad-dalu, atgyfodi, adfeddiannu, adnewyddu, aduno.*

add-: 'tra'

> clwm: *addfwyn, addoer, addolaf.*

af-: negyddol

> clwm: *afiach, aflan, afraid, afrwydd.*
> llac: *afresymol, aflafar, aflonydd.*

all-: 'arall'

> clwm: *allfro, allblyg.* (Ceir *t* yn dilyn *ll* yn *alltud.*)

am-, ym-: 'o gwmpas'

> clwm: *amdo, amgylch, amwisg, amdorch, ymgeledd.*

cilyddol, 'o'r ddeutu'

> clwm: *ymladd, ymweld, ymdrechu, ymwêl* (dilynir y berfau hyn gan yr arddodiad *â*); *ymgais, ymdrech.*

atblygol

> clwm: *ymolchi, ymburo, ymddwyn, ymlâdd.*

'gwahanol, amrywiol'

> clwm: *amryw, amliw, amyd.*

cryfhaol

> clwm: *amdlawd, amdrwm.*

ar-: 'gyferbyn â, ar bwys'

clwm: *arddwrn, arfoll, arfal, argel, argae.*

can-, cyn-: 'gyda'

clwm: *canlyn, canllaith, cynhebrwng, canllaw, canmol.*

cyd-: 'gyda'i gilydd, ynghyd'

clwm: *cytbwys, cydradd, cydymaith, cydnabod, cydfod.*

llac: *cyd-addolwr, cyd-Gymro, cyd-weithiwr, cyd-fyw, cydsefyll.*

cyf-, cy-: 'cyfartal'

clwm: *cyfwerth, cyfurdd, cytbwys, cyfliw, cyfiaith, cyfran, cyfuno.*

cryfhaol

clwm: *cyfaddas, cyfaddef, cyflym, cyflawn, cywir.*

cyfr-: 'llwyr'

clwm: *cyfrgoll, cyfrdrist, cyfrddoeth.*

llac: *cyfrgolledig.*

cynt-, cyn(h-): 'blaen, o flaen'

clwm: *cynfyd, cynsail, cynhaeaf, cynddail, Cynfeirdd.* Yn *cynllun* erys *ll* heb dreiglo ar ôl *n.*

llac: *cyn-faer, cyn-aelod, cyn-gadeirydd.*

dad-, dat-: negyddol

clwm: *datod, datmer, datguddio.*

llac: *dad-wneud, datgysylltiad, dadlwytho.*

cryfhaol

clwm: *datgan.*

dar-: cryfhaol

clwm: *darostwng, darbwyllo, darogan, darfod*; y gytsain gysefin a geir yn *darpar.*

di-: 'eithaf, hollol'

clwm: *dinoethi, diddanu, didol, dioddef.*

rhagddodiad negyddol gydag ansoddeiriau a berfau

clwm: *diflas, diwerth, diboen, diwyllio.*

llac: *di-flas, di-boen, di-dduw, di-baid, di-ddadl, didrafferth, digroeni.*

dir-: cryfhaol

clwm: *dirboen, dirfawr, dirgymell, dirnad, dirgrynu, dirgel.*

dis-: cryfhaol

clwm: *distaw.*

negyddol

clwm; *disgloff.*

dy-: 'at, ynghyd'

clwm: *dyfynnu, dygyfor.*

dy-: 'gwael'

clwm: *dybryd.*

e-, (eh-), ech-: 'cyn'

clwm: *echnos, echdoe, echryd.*

negyddol

clwm: *eofn, ehangder.*

go-, (gwo-), gwa-: gwahanol neu fychanol, 'o dan'

clwm: *goblyg, gobennydd, goben, gogan, golosg.*

llac; (gydag ansoddeiriau) *go dda, go fawr, go lew, go ddrwg, go dywyll.*

gor-: cryfhaol

clwm: *gorfoledd, goresgyn, gorbwyso, gorbrudd, gorlenwi.*

llac: *gorofalus, gor-ddweud.*

gwrth-: 'yn erbyn, yn ôl'

clwm: *gwrthglawdd, gwrthwyneb, gwrthgilio, gwrthblaid, gwrthsefyll.*

llac: *gwrthwynebu, gwrthgyferbynnu.*

73

hy-: 'hawdd, da' (*y* dywyll)

clwm: *hyglyw, hyblyg, hyfryd, hydraul, hynaws.*

rhag-: 'blaen, ymlaen'

clwm: *rhagfarn, rhagrith, rhagluniaeth.*

llac: *rhagbaratoi, rhagfynegi, rhag-weld, rhagymadrodd.*

rhy-: 'gormodol, tra'

clwm: (*y* dywyll) *rhywyr, rhyfedd, rhydyllu.*

llac: (*y* glir) *rhy fawr, rhy gynnes, rhy drist, rhy dda,* gw. **44**.

rhyng-: 'cyd-'

llac: *rhyngosodiad, rhyngwladol, rhyng-golegol.*

tan-: 'islaw'

llac: *tanseilio, tanlinellu, tangyflogaeth, tan ddaearol, tanysgrifiad.*

traf-: cryfhaol

clwm: *traflyncu.*

traws-, tros-: 'croes, cam'

clwm: *trosglwyddo.*

llac: *trawsfeddiannu, trawsblannu.*

try-: 'llwyr, trwodd'

clwm: *tryloyw, tryfrith, trywanu.*

ym-: atblygol

clwm: *ymatal, ymddangos, ymgodymu.*

§ 93 Treiglad Llaes

a-: cryfhaol

clwm: *achul, athrist, achwyn.*

dy-: cryfhaol

clwm: *dychryn.*

'gwael'

clwm: *dychan.*

go-: 'lled, gweddol'

clwm: *gochel, gochanu, gochrwm.*

gor-, gwar-: cryfhaol

clwm: *gorffen (gor + pen), gorchudd, gwarchae, gorthrwm.*

tra-, dra-: 'dros'

clwm: *drachefn, trachul.*

llac: *tra chryf, tra charedig, tra phwysig*, gw. **124**.

§ **94** Treiglad Trwynol

an-, a(m)-, a(ng)-: negyddol

clwm: *amrwd, annoeth, amarch.*

llac: *annheilwng, amhriodol, amherffaith.*

cym-, cyn-, cy(ng)-: 'cyf-'.

clwm: *cymod, cynnwrf.*

Cyfnewidiadau Llafariaid a Deuseiniaid

§ 95 Affeithiad

Digwydd affeithiad pan fo llafariad mewn sillaf derfynol yn achosi newid i lafariad sy'n ei rhagflaenu drwy gymathu'r sain mewn ffurf berthynol yn debycach i'w sain hi ei hun. Er enghraifft, wrth ychwanegu -*i* at sillaf sy'n cynnwys *a*, ceir *gardd, gerddi*. (Yn aml bydd y llafariad a achosodd yr affeithiad wedi diflannu o'r iaith erbyn hyn ond erys yr affeithiad). Trwy gydweddiad, sut bynnag, lledodd y nodwedd i eiriau a oedd heb derfyniad yn cynnwys seiniau a allai achosi affeithiad. Cynhwysir y naill ddosbarth a'r llall ymhlith y ffurfiau a nodir isod.

§ 96 Canfyddir ôl affeithiad a achoswyd gan *a* yn ffurfiau benywaidd yr ansoddair (Tabl 1).

Tabl 1

Y sain wreiddiol	Affeithiad	Enghreifftiau
y	*e*	*gwyn, gwen*
		byr, ber
		cryf, cref
		melyn, melen
		llym, llem
		syml, seml
		bychan, bechan
		gwyrdd, gwerdd
		tywyll, tywell
		llyfn, llefn
		hysb, hesb
w	*o*	*llwm, llom*
		crwn, cron
		dwfn, dofn
		tlws, tlos
		trwm, trom
		cwta, cota

76

Y sain wreiddiol	Affeithiad	Enghreifftiau
		brwnt, bront
		crwm, crom
		trwsl, trosgl
i	*ai*	*brith, braith*

Enghreifftiau:

noson drom o haf
(Robin Llywelyn, 1995: 50)

erthygl fer
(*Taliesin*, Gaeaf 1994: 37)

ei ber yrfa
(*Taliesin*, Gaeaf 1994: 109)

cyfundrefn lem
(*Barn*, Tachwedd 1995: 6)

ffordd fechan
(*Barn*, Mawrth 1995: 58)

potel werdd
(Robin Llywelyn, 1994: 78)

brawddeg gota
(*Barddas*, Tachwedd 1992: 9)

ffurfafen fraith
(W. O. Roberts, 1987: 42)

hen siop front
(*Barn*, Gorffennaf/Awst 1994: 81)

Noder

(1) Dewisir ffurfiau gwrywaidd yr ansoddair yn gyffredin gydag enw ben. unigol: *merch gryf; cornel dywyll; wythnos drwm; daear wlyb; llaw drwm.*

(2) Erbyn hyn y mae'r ffurf fenywaidd *hesb* wedi disodli *hysb* bron yn llwyr: *bydd yr afon yn hesb a sych* (Isa. 19: 5); *dau berson hesb* (*Taliesin*, Gaeaf 1994: 132).

(3) Ansoddair gwrywaidd a ddewisir fel rheol yn dilyn *yn* traethiadol: *y mae'r gaseg yn gryf; yr oedd y ferch yn wyn*. Gynt, sut bynnag, cytunai'r ansoddair â'r enw o ran cenedl: *ni bydd fy llaw yn drom arnat* (1955) (Job 33: 7).

(4) Ni ddigwydd y ffurfiau benywaidd a nodir isod ar lafar nac mewn rhyddiaith ddiweddar ond fe'u ceir yn achlysurol mewn barddoniaeth:

Gwrywaidd	Benywaidd
blwng	*blong*
mwll	*moll*
hyll	*hell*
syth	*seth*
llwfr	*llofr*
swrth	*sorth*
twn	*ton*
cryg	*creg*

§ 97 Canfyddir ôl affeithiad a achoswyd gan *i* (gw. Tabl 2) yn ffurfiau lluosog enwau ac ansoddeiriau a ffurfiau 3ydd unigol presennol mynegol y ferf.

Tabl 2

Y sain wreiddiol	Affeithiad	Enghreifftiau
a	ai	*sant*, ll. *saint*
		brân, ll. *brain*
		llygad, ll. *llygaid*
		cyfan, ll. *cyfain*
		bychan, ll. *bychain*
		ieuanc, ll. *ieuainc*
		safaf, 3ydd un. *saif*
		caf, 3ydd un. *caiff*
		paraf, 3ydd un. *pair*
		Lle y digwydd affeithiad yn y sillaf olaf, try *a* yn y goben yn *e*:
		dafad, ll. *defaid*

Y sain wreiddiol	Affeithiad	Enghreifftiau
a	ei	*bardd,* ll. *beirdd*
		gafr, ll. *geifr*
		car, ll. *ceir*
		iâr, ll. *ieir*
		march, ll. *meirch*
		hardd, ll. *heirdd*
		ysgafn, ll. *ysgeifn*
		marw, ll. *meirw*
		balch, ll. *beilch*
		galwaf, 3ydd un. *geilw*
		cadwaf, 3ydd un. *ceidw*
		gallaf, 3ydd un. *geill*
		daliaf, 3ydd un. *deil*
a	y (glir)	*bustach,* ll. *bustych*
		bwytâf, 3ydd un. *bwyty*
		Lle y digwydd affeithiad yn y sillaf olaf, try *a* yn y goben yn *e:*
		aradr, ll. *erydr*
		alarch, ll. *elyrch*
		paladr, ll. *pelydr*
		cadarn, ll. *cedyrn*
		gwasgaraf, 3ydd un. *gwesgyr*
		parhaf, 3ydd un. *pery*
ae	ai	*draen,* ll. *drain*
ae	ei	*gwaell* (hefyd *gwäell*), ll. *gweill* (hefyd gwëyll)
e	y (glir)	*Gwyddel,* ll. *Gwyddyl*
		cyllell, ll. *cyllyll*
		Lle y digwydd affeithiad yn y sillaf olaf, try *a* yn y goben yn *e:*
		castell, ll. *cestyll*

Y sain wreiddiol	Affeithiad	Enghreifftiau
		astell, ll. *estyll*
		llawes, ll. *llewys*
		padell, ll. *pedyll*
		bachgen, ll. *bechgyn*
		caled, ll. *celyd*
		atebaf, ll. *etyb*
		Yn *maharen*, ll. *meheryn* affeithir *a* yn y goben ac yn rhagobennol yn *e*.
o	y (glir)	*porth*, ll. *pyrth*
		ffon, ll. *ffyn*
		corff, ll. *cyrff*
		ffordd, ll. *ffyrdd*
		Cymro, ll. *Cymry*
		collaf, 3ydd un. *cyll*
		torraf, 3ydd un. *tyr*
		Lle y digwydd affeithiad yn y sillaf olaf, try *o* yn y goben yn *e*; try *a* yn y goben yn *e*:
		ymosodaf, 3ydd un. *ymesyd*
		gosodaf, 3ydd un. *gesyd*
		agoraf, 3ydd un. *egyr*
		dangosaf, 3ydd un. *dengys*
		adroddaf, 3ydd un. *edrydd*
w	y (glir)	*asgwrn*, ll. *esgyrn*
oe	wy	*oen*, ll. *ŵyn*
		croen, ll. *crwyn*
aw	y (glir)	*gwrandawaf*, 3ydd un. *gwrendy*
		gadawaf, 3ydd un. *gedy*

Yn y ddwy enghraifft uchod digwyddodd affeithiad yn y sillaf olaf a throdd *a* yn y goben yn *e*.

§ 98 Gall sain yn y sillaf olaf affeithio ar lafariad yn y goben (gw. Tabl 3).

Tabl 3

Y sain wreiddiol	Sain y terfyniad	Affeithiad	Enghreifftiau
a	i	e	*gwlad*, ans. *gwledig* *gardd*, ll. *gerddi* *canaf*, 2il un. pres. myn. *ceni* *distaw*, be. *distewi* *gwahardd*, pres. amhers. *gwaherddir*
a	i (gytsain)	ei	*gwas*, ll. *gweision* *mab*, ll. *meibion* *sant*, ll. *seintiau* *cymar*, ll. *cymheiriaid*
a	y	e	*nant*, ll. *nentydd* *gwlad*, ll. *gwledydd* *plant*, ll. *plentyn*
e	i (gytsain)	ei	*capten*, ll. *capteiniaid* *gefell*, ll. *gefeilliaid* *niwed*, ans. *niweidiol* *toreth*, ans. *toreithiog*
ae	i (gytsain) i (lafarog)	ei	*paent*, be. *peintio* *gwaedd*, be. *gweiddi* *saer*, ll. *seiri* *maer*, ll. *meiri*
ae	y	ey	*maes*, ll. *meysydd* *caer*, ll. *ceyrydd*
ae	u	eu	*aeth*, 1af un. gorff. *euthum* *daeth*, 1af un gorff. *deuthum* *gwnaeth*, 1af un. gorff. *gwneuthum*

Y sain wreiddiol	Sain y terfyniad	Affeithiad	Enghreifftiau
aw	i neu y (glir)	ew	*cawr*, ll. *cewri*
			cawell, ll. *cewyll*
			tawaf, be. *tewi*

Noder

(1) Yn aml bydd *a* heb ei haffeithio yn y goben o flaen *i* neu *ia*:

(i) mewn enwau â'r terfyniad -*iad*, -*iaid*: *hynafiad*, ll. *hynafiaid*; *anwariad*, ll. *anwariaid*; *Americaniaid*; *cariad*; *casgliad*; *caniad*; *llafariad*. Yn *galwad* (< *galw* + *ad*) a *lladdiad*, erys y llafariad heb ei haffeithio ond yn *geilwad* (< *galw* + *iad*) a *lleiddiad* digwydd affeithiad.

(ii) mewn ychydig enwau lluosog yn -*ion*: *carthion*; *manion*; *eithafion*; *amcanion*.

(iii) yn ffurfiau amhersonol berfau gorberffaith: *canu, canasid* (hefyd *canesid*); *caru, carasid* (hefyd *caresid*); *prynu, prynasid* (hefyd *prynesid*).

(iv) yn ffurfiau 2il un. amherff. a gorberff. berfau: *canu, canit, canasit*; *dysgu, dysgit, dysgasit*.

(v) mewn cyfansoddeiriau: *caswir*; *canrif*; *gwanddyn*; *rhandir*; *talgryf*; *candryll*.

(vi) mewn morffemau rhwymedig: *athrist*; *afiach, amgylch*; *canlyn*; *datrys*.

(vii) mewn sillafau terfynol sydd heb statws morffem: *arian*; *arial*; *anial*.

Pan yw'r *y* mewn terfyniad berfol yn ffurf affeithiedig ar *o*, affeithir ar *o* neu *a* yn y goben:

datod	3ydd un. pres. myn. *detyd*
aros	3ydd un. pres. myn. *erys*
gosod	3ydd un. pres. myn. *gesyd*
agor	3ydd un. pres, myn. *egyr*
adrodd	3ydd un. pres. myn. *edrydd*
ymosod	3ydd un. pres. myn. *ymesyd*
datgloi	3ydd un. pres. myn. *detgly*
datro	3ydd un. pres. myn. *detry*

(2) Yn yr 2il ll. pres. myn. a'r 2il ll. gorch., affeithir *a* i *e*, er bod y sain a achosodd yr affeithiad wedi diflannu (gw. D. Simon Evans, 1964: 119-20): *caru, cerwch; canu cenwch; parchu, perchwch; gadael, gedwch; talu, telwch; gallu, gellwch; barnu, bernwch.*

Anwybyddir y newid yn aml mewn ysgrifennu cyfoes (er enghraifft, *carwch, canwch, claddwch, parchwch, gadwch, talwch, gallwch*) ac nis dynodir yn y Beibl Cymraeg Newydd:

Perchwch bawb. Cerwch y brawdoliaeth. Ofnwch Dduw. Anrhydeddwch y brenin (1955)
Rhowch barch i bawb, carwch y frawdoliaeth, ofnwch Dduw, parchwch yr ymerawdwr (1988)
    (1 Pedr, 2: 17)

Cenwch i'r Arglwydd ganiad newydd (1955)
Canwch i'r Arglwydd gân newydd (1988)
    (Salmau, 98: 1)

Na fernwch fel na'ch barner (1955)
    (Mth. 7: 1)

Claddwch fi gyda'm tadau (1988)
    (Gen. 49: 29)

Gwrthsafwch y diafol (1988)
    (Iago, 4: 7)

Gellwch godi unrhyw un o'r llyfrau hyn
    (Barddas, Gorff. / Awst 1992: 7)

Mi ellwch farnu trosoch eich hunain
    (J. Elwyn Hughes, 1989: 22)

Mae'r lle'n siangdifang pryd bynnag y galwch chi heibio
    (Irma Chilton, 1989: 37)

Safwch yn gadarn
    (2 Thes. 2: 15)

Cadwch yn gynnes
    (Iago 2: 16)

Dychweliad

§ 99 Pan ddigwydd yr affeithiad yn ffurf ddiderfyniad y gair, a'r llafariad wreiddiol heb ei haffeithio pan chwanegir terfyniad, gelwir y newid yn ddychweliad (gw. Tabl 4).

Tabl 4

Affeithiad	Y sain wreiddiol	Enghreifftiau
ai	a	*gwraig*, ll. *gwragedd* *rhiain*, ll. *rhianedd* *cainc*, ll. *cangau* *adain*, bellach *aden*, ll. *adenydd*, bellach *adenydd*
ei	a	*lleidr*, ll. *lladron* *neidr*, ll. *nadredd*
au	aw neu af	*cenau*, ll. *cenawon* neu *cenafon* *edau*, ll. *edafedd*
ai	ae	*Sais*, ll. *Saeson*

Gwyriad

§ 100 Bydd rhai llafariaid a deuseiniaid mewn sillafau terfynol (neu mewn gair unsill) yn newid pan symudant i safle newydd sef i'r goben neu i ryw sillaf arall, yn sgil chwanegu terfyniad neu forffem arall. Gwyriad yw'r enw a roir ar y newid (gw. Tabl 5):

Tabl 5

Y sain yn y sillaf olaf neu yn y gair unsill	Gwyriad	Enghreifftiau	
ai	ei	*sail,*	ll. *seiliau*
		gair,	ll. *geiriau*
		iaith,	ll. *ieithoedd*
		llai,	ll. *lleiaf*
		Aifft, ans. *Eifftaidd*	
		rhaid, rheidrwydd	
		craig, creigle	
au	eu	*gwaun,*	ll. *gweunydd*
		ffau,	ll. *ffeuau*
		genau,	ll. *geneuau*
		traul,	ll. *treuliau*
			be. *treulio*
		aur,	ans. *euraid*
			be. *euro*
		brau,	cym. *breuach*
		dau, deuddeg	
aw	o	*brawd,*	ll. *brodyr*
		sawdl,	ll. *sodlau*
		llawr,	ll. *lloriau*
		traethawd, ll. *traethodau*	
		llaw, llofnod	
		ffawd,	ans. *ffodus*
w	y (dywyll)	*bwrdd,*	ll. *byrddau*
		cwch,	ll. *cychod*
		cwmwl,	ll. *cymylau*
		ffrwd,	ll. *ffrydiau*
		twf,	be. *tyfu*
		trwm,	cym. *trymach*
y (glir)	y (dywyll)	*dyn,*	ll. *dynion*
		llyn,	ll. *llynnoedd*
		telyn,	ll. *telynau*
		ych,	ll. *ychen*
		dilyn, 1af unigol pres. myn. *dilynaf*	
		terfyn,	be. *terfynu*

85

Y sain yn y sillaf olaf neu yn y gair unsill	Gwyriad	Enghreifftiau	
uw	u	*buwch,*	ll. *buchod*
		uwch,	eith. *uchaf*
			cys. *uchel*
		cuwch,	be. *cuchio*
			ll. *cuchiau*

Noder:

(1) Nid yw *aw* yn gwyro i *o* yn *mawr, mawrion; llawn, llawnion; awdur, awduron; cawg, cawgiau; hawdd, hawsaf.*

Erys *aw* heb wyro o flaen llafariad yn *addawol; gwrandawaf; trawaf.*

Trwy gydweddiad trodd *aw* yn *o* yn sillaf olaf y berfenwau: *addo* (gynt *addaw*); *gwrando* (gynt *gwrandaw*); *taro* (gynt *taraw*).

Mae'r newid *aw > o* yn gyffredin yn y sillaf olaf: (*dwy-law*) *dwylo*; (*an-hawdd*) *anodd*; (*ffydd-lawn*) *ffyddlon*.

(2) Bydd *w* yn y goben yn gwrthsefyll gwyro pan fydd *w* yn dilyn yn y sillaf olaf: *cwmwl; cwrcwd; cwmwd; mwdwl; cwpwrdd; cwcwll; bwgwth* (hefyd *bygwth*). Pan chwanegir terfyniad, sut bynnag, bydd y ddwy *w* yn gwyro: *cwmwl, cymylau, cymylu; cwpwrdd, cypyrddau; mwdwl, mydylau, mydylu; cwrcwd, cyrcydau, cyrcydu; bwgwth, bygythiad.*

Bydd *w* yn gwrthsefyll treiglo, yn ogystal, mewn llu o ffurfiau lle y mae statws morffem gan y sillaf olaf: *gwrol; gwra; gwraidd; bwthyn; bwriad; gwthiaf; swnllyd; wrthyf; gwgu.*

Ni ddigwydd gwyriad yn y rhagddodiad *gwrth-*: *gwrthblaid; gwrthsefyll; gwrthglawdd; gwrthod; gwrthgilio.*

Yn arferol, bydd *w* yn gwrthsefyll gwyro mewn benthyceiriau: *cwsmer, cwsmeriaid; cwmni, cwmnïoedd.* Ceir gwyriad yn *clwb, clybiau.*

(3) Y dywyll, yn arferol, a fydd yn sylweddoli gwyrio *y* glir ac *w*, ond bydd *y* glir yn y goben yn gwrthsefyll gwyrio o flaen llafariad arall: *gwestyau; gwestywr; lletya; lletywr; gwelyau; distrywio; amrywiaeth; benywaidd; gwrywaidd.*

Y dywyll a geir yn y rhagddodiad *rhy-* yn *rhywyr* ac yn *-yw-* yn *bywyd; cywydd; llywydd; tywydd; tywod; tywyll.*

Mewn sillaf ragobennol *y* dywyll a geir: *cyfarfod; hysbysu; cynhaeaf; mynyddoedd; cyhoeddiadau; hynafiaethau.*

Mewn cyfansoddeiriau llac, sut bynnag, *y* glir a geir yn y rhagddodiaid *cyd-* a *cyn-*: *cydgerdded*; *cyn-gadeirydd*.

Yn arferol *y* glir a ddigwydd yn elfen gyntaf cyfansoddeiriau llac: *Rhyddfrydwyr*; *synfyfyrio*.

Pan yw elfen gyntaf y cyfansoddair yn lluosill, dibynna ansawdd yr *y* ar ei union safle yn nwy elfen y cyfansoddair; *y* dywyll a geir yng ngoben yr elfen gyntaf a'r ail: *llygadrythu*; *prysur-gerdded*; *ysgafn-droed*; *amcan gyfrif*. Yn *cyflym-gerdded*, ceir *y* dywyll yng ngoben yr elfen gyntaf ac *y* glir yn sillaf olaf yr elfen honno.

Gall ail elfen y ddeusain esgynedig *wy* wyro yn y goben: *gwyn, gwynnaf; gwynt, gwyntoedd*.

(4) Ni bydd *uw* yn gwyro yn *duwies, duwiol, duwdod, duwiesan*.

Caledu

§ 101 Digwydd caledu pan chwanegir terfyniad at air neu pan ffurfir gair cyfansawdd. Nodir y newidiadau isod:

$$b + b > p$$
$$d + d > t$$
$$g + g > c$$
$$b + h > p$$
$$d + h > t$$
$$g + h > c$$
$$f + h > ff$$
$$dd + h > th$$

Mewn cyfuniadau cytseiniol eraill, mae'n arferol caledu'r gytsain gyntaf yn unig:

$$b + t > p + t$$
$$d + b > t + b$$
$$d + c > t + g$$
$$g + t > c + t$$
$$g + p > c + b$$
$$g + ll > c + ll$$
$$d + ch > t + ch$$
$$g + ff > c + ff$$

Ceir caledu yn y safleoedd isod:

§ 102 Pan chwanegir y terfyniad cyfartal *(h)ed* neu'r terfyniad eithaf *(h)af* at radd gysefin yr ansoddair; diflannodd *-h-* o'r terfyniadau hyn (gw. D. Simon Evans, 1964: 39) ond caledir *-b, -d, -g, -dd*:

gwlyb	+	*hed*	cyf. *gwlyped*
	+	*haf*	eith. *gwlypaf*
tlawd	+	*hed*	cyf. *tloted*
	+	*haf*	eith. *tlotaf*
teg	+	*hed*	cyf. *teced*
teg	+	*haf*	eith. *tecaf*
diwedd	+	*haf*	eith. *diwethaf*

Noder
Prin yw'r enghreifftiau o *dd + h > th*.

Nid oedd *-h-* yn rhan o'r terfyniad cymharol ond trwy gydweddiad lledodd calediad i'r ffurf gymharol:

gwlypach
tlotach
tecach

§ 103 Yn y presennol dibynnol. Yr oedd terfyniadau'r presennol dibynnol gynt yn cynnwys *h-* ddechreuol; cyfunodd yr *h* hon â'r gytsain a'i rhagflaenai a pheri caledu (gw. D. Simon Evans, 1964: 128). Diflannodd *h* erbyn hyn, ond diogelir enghreifftiau o galedu mewn diarhebion ac ymadroddion cyfarwydd:

Duw cato pawb	*cato < cad + ho* 3ydd unigol pres. dib. *cadw*
Cas gŵr na charo'r wlad a'i maco (Dihareb)	*maco < mag + ho* 3ydd unigol pres. dib. *magu*
Canmoled pawb y bont a'i dyco *drosodd* (Dihareb)	*dyco < dwg + ho* 3ydd un. pres. dib. *dwyn*

§ 104 Mewn berfenwau a ffurfiwyd drwy chwanegu'r olddodiad -(h)a- at enw neu ansoddair:

pysgota	< pysgod	+ ha
cardota	< cardod	+ ha
bwyta	< bwyd	+ ha
gwreica	< gwraig	+ ha
cryffa	< cryf	+ ha

Noder
Prin yw'r enghreifftiau o $f + h > ff$.

§ 105 Pan chwanegir *u* at yr elfen fonffurfiol *-ha-* i lunio berfenw, pair *h* galedu'r gytsain o'i blaen:

gwacáu	< gwag	+ ha + u
bywiocáu	< bywiog	+ ha + u

§ 106 Yn ffurf lluosog dwbl yr enwau bachigol lluosog isod:

Enw unigol	Lluosog	Enw bachigol lluosog
merch	merched	merchetos (hefyd merchetach)
pryf	pryfed	pryfetach

§ 107 Mewn cyfansoddeiriau clwm dan yr amodau isod:

-d + d- > t	abad + dŷ	abaty
-g + g- > c	costawg + gi	costawci
-b + b- > p	wyneb + bryd	wynepryd

neu pan ddilynir un o'r cytseiniaid hyn gan *-h-*:

dryg + hin> drycin

Dilynir y ffritholion *ll, ff, s,* gan yr orgraffyn *t* yn yr ychydig ffurfiau lle y digwydd y cyfuniad ffrithiolen ddilais + ffrwydrolen orfannol:

hoffter
maestref
llystad

89

maestir
beiston
alltud
distaw

§ 108 Yn yr olddodiaid haniaethol isod:

-der >	*-ter*	*dicter*
-did >	*-tid*	*ieuencid*
-dra >	*-tra*	*cyfleustra*
-had >	*-cad, -tad*	*ymwacâd, caniatâd*

§ 109 (i) Mewn cyfansoddeiriau clwm mae'n arferol caledu'r gytsain gyntaf yn unig yn y cyfansoddeiriau canlynol:

pt	(*pob* + *tŷ*)	>	*popty*
t b	(*ŷd* + *bys*)	>	*ytbys*
t g	(*gwrid* + *coch*)	>	*gwritgoch*
c t	(*brag* + *tŷ*)	>	*bracty*
c b	(*crog* + *pris*)	>	*crocbris*
c ll	(*dig* + *llon*)	>	*dicllon*
t ch	(*lled* + *chwith*)	>	*lletchwith*
c ff	(*pig* + *fforch*)	>	*picfforch*

(ii) Yn y cyfansoddeiriau afryw:

popeth	*(pob* + *peth)*
pompren	*(pont* + *pren)*

Noder

(1) Un o nodweddion tafodieithol amlycaf y de-ddwyrain yw'r dileisio a ddigwydd i'r ffrwydrolion lleisiol mewn sillaf bwyslais naill ai rhwng elfennau llafarog neu rhwng elfen lafarog ag /r, l, n, m, w, j, v/:

[popi]	pobi
[kekin]	cegin
[katu]	cadw

90

[ɛprɨɬ]	Ebrill
[ɬuitrɛu]	llwydrew
[ɛkni]	egni
[dɪkjo]	digio
[atnod]	adnod
[ɛtvan]	hedfan
[dɛtwi]	dodwy
[plɪkjad]	plygiad

Digwydd enghreifftiau prin o'r nodwedd mewn sillaf ragobennol:

[ɬuitrɛui]	llwydrewi

Gelwir y nodwedd dafodieithol hon yn galediad (gw. Thomas, 1975-76: 360-366).

(2) Dosbarthiad traddodiadol a wnaed ar y treigladau a'r cyfnewidiadau llafarog. Ceir enghreifftiau o ddosbarthu ar sylfaen wahanol yn Oftedal (1962), Thomas (1993), Thomas (1996).

Ymarferion 1

Ar ochr dde'r ddalen nodir y ffurfiau cysefin rhwng cromfachau ynghyd ag uwchrif yn cyfeirio at yr adran berthnasol yn y gyfrol ar gyfer cadarnhau gwybodaeth neu er mwyn lloffa gwybodaeth ychwanegol.

Rhowch y ffurf gywir yn y bwlch:

1 Mae wedi derbyn tua _____ mil ar hugain. (pum) [71]
2 Symudodd hi o _____ i Abergwaun. (Tyddewi) [23] [81]
3 Gwelodd hi'r _____. (damwain) [2]
4 Cafodd _____ arbennig. (croeso) [24]
5 Roedd yn sychedu am _____. (gwybodaeth) [23]
6 Mae am ymweld â'r _____ _____. (prif) [5] (llyfrgell) [5]
7 Prynais _____ a _____. (ceffyl) [24] (cart) [72]
8 Y ____ _____ oedd ei _____ pennaf ef. (diod) [2] (cadarn) [4] (gelyn) [17]
9 Ni _____ y swydd iddi. (cynigiais) [69]
10 Yr oedd y _____ mor _____. (gwlad) [2] (gwahanol) [6]
11 Mae mor hyll â _____. (pechod) [73]
12 Yr oedd ei wyneb ef mor _____ â'r glo. (du) [6]
13 Maen nhw'n _____ cydwybodol. (myfyrwyr) [8]
14 Os na chaiff ___ i eistedd, fe _____ nôl cyn pedwar (lle) [24] (bydd) [34§]
15 Bydd yn _____ da iti. (cwmni) [8]
16 Daeth am _____ i'n _____ ni. (cyfnod) [23] (ysgol) [79(v)]
17 Maen nhw'n perthyn i'r un _____. (canrif) [11]
18 Roedd hi'n _____ _____ yn yr ysgol. (merch) [8] (da) [4]
19 Bu terfysg dros y Sul ym _____. (Belfast) [65, 81]
20 Mae dwy _____ yn yr _____. (cath) [12] (gardd) [2]
21 Mae'n ____ ar _____. (da) [8] (croeseiriau) [23]
22 Eu _____ blentyn oedd Gwenno. (ail) [79(vii)]
23 Peidiwch â _____ â'r ffwrn _____. (cyffwrdd) [71] (trydan) [22(iv)]
24 Daeth nifer o _____ a _____ i'r cyfarfod. (rhieni) [23] (plant) [72]
25 Sut mae dy _____ ? (mam) [17]

26 Hoffai hi newid ei _____ eleni .   (car) §67
27 Gofala newid dy _____?   (crys) §17
28 Sut _____ yw John?   (cwmni) §30
29 Pam wyt ti wedi torri dy _____ mor ____?   (gwallt) §17 (byr) §6
30 Clywais fod eu merch yn _____ _____ oed.   (pum) §8 (blwydd) §63
31 Prynais y pentwr am ___ mewn siop ____ ail ___.   (punt) §23
                                                      (llyfrau) §22(iii) (llaw) §16
32 Camodd dros _____ yr _____.   (clawdd) §23 (gardd) §2
33 Sut _____ sydd yno?   (canu) §30
34 Cawsant _____ llawn.   (marciau) §24
35 Dyma ____ da i aros ynddo dros nos.   (gwesty) §19
36 Ei _____ hi _____ honno.   (priodas) §67 (bydd) §29
37 Ni _____ ___ â neb erioed.   (gwnaeth) §41 (cam) §24
38 Bydd wrth y _____ _____ am _____.   (desg) §2 (blaen) §4
                                                      (pedwar) §23
39 Prynodd _____ a llo yn Llanybydder.   (buwch) §24
40 Pobodd _____ _____.   (cacen) §24 (blasus) §4
41 Sut gêm a _____ ar y Strade?   (cafwyd) §27
42 Pwy a _____ ei _____ ef, bellach.   (gall) §27 (credu) §17
43 Roedd fy _____ yn saith _____ oed.   (brawd) §62 (blwydd) §63
44 Cadwodd o'r cyffiniau am saith _____.   (blynedd) §63
45 Hi a ___ 'n ei warchod am ____.   (bu) §27 (mis) §23
46 Dyma'r dyn a _____ y cyfan.   (collodd) §27
47 Ni _____ neb.   (gwelais) §41
48 Fe _____ y byddai'n gorffwys.   (dywedodd) §34
49 Mae amynedd fy _____ yn _____.   (plant) §62 (prin) §8
50 Mi _____ _____ _____.   (clywaf) §34 (tyner) §24 (llais) §5
51 Suddodd y _____ ____.   (pêl) §2 (glas) §4
52 Enillodd _____ snwcer Cymru.   (pencampwriaeth) §24
53 Darllenais y cofnodion yn fanwl _____.   (manwl) §50
54 Pan _____ Eirlys, fe _____. (gwelodd) §48
                                                      (gwridodd) §34
55 Mae'n galw yma _____ yr wythnos.   (dwywaith) §37
56 Mae ffrwythau'n _____ yr adeg hon o'r _____.   (drud) §8
                                                      (blwyddyn) §2
57 Dewiswch _____ neu _____.   (bachgen) §24 (merch) §38
58 Ni _____ dim daioni o hynny.   (daw) §41
59 Mae ef yn llawer rhy _____.   (tew) §44

60 Na _____. (poenwch) [§69]

61 Doedd _____ neb wedi cyrraedd. (mawr) [§42]

62 Ni _____ eu bwyd. (cawsant) [§69]

63 Maen nhw'n _____ iawn. (caredig) [§8]

64 Yr oedd hi wedi bod yn glawio pan _____. (cododd) [§48]

65 Symudodd y teulu _____ _____ yn ôl. (deng) [§37] (blynedd) [§63]

66 Cyrhaeddodd y papur newyddion yn gynnar _____.

(cynnar) [§50]

67 Symudodd o _____ i swydd yng _____. (Dolgellau) [§23, §81]

(Caerfyrddin) [§65, §81]

68 Mae tri _____ wedi dianc o _____ Aberawe. (carcharor) [§66]

(carchar) [§23]

69 Ni _____ y tŷ. (prynwyd) [§69]

70 Nid oedd hi am _____ am y pryd. (talu) [§23]

71 Collodd ei swydd wedi dwy _____ar _____ gyda'r cwmni.

(blynedd) [§12] (ugain) [§79(ix)]

72 Dwyt ti ddim yn _____, _____. (parod) [§8] (crwt) [§39]

73 Bu trafodaeth ar _____ o _____ _____. (llawer) [§23]

(gwahanol) [§23] (pynciau) [§5]

74 Soniodd am ei _____ yn y _____. (dewrder) [§17] (brwydr) [§2]

75 Gofyn cardod a ____ yn y _____ hon. (gwna) [§27] (cerdd) [§2]

76 Chwedl yw hon am _____ o'r enw Ceridwen. (gwraig) [§23]

77 Rhoes ef ei ___ yn ei ___ hi. (bys) [§17] (ceg) [§67]

78 Mynach o'r de a'i _____. (ysgrifennodd) [§79(iii)]

79 Cafodd _____ yn ystod y nawfed _____. (trafferthion) [§24]

(canrif) [§16]

80 Emyn o ____ a _____ nesaf. (mawl) [§23] (cenir) [§27]

81 Credir iddi gael ei _____ yn y ddegfed ganrif. (cyfansoddi) [§67]

82 Ni ŵyr neb ____ amdani. (dim) [§24]

83 Dyma _____ da i wrthymosod. (cyfle) [§19]

84 Gorau po _____ y cilia'r storm. (cyntaf) [§10]

85 Ni _____ _____ addysg ffurfiol. (cafodd) [§69] (manteision) [§24]

86 Sut _____ sydd ganddo? (gardd) [§30]

87 Mae ganddo _____ newydd. (cariad) [§55(ii)]

88 Tymor diflas arall o griced _____ hi. (bydd) [§29]

89 Ni ŵyr neb _____ amdano. (mawr) [§42]

90 _____ ohonot ti. (truan) [§33]

91 A _____ y llaeth eto? (daeth) [§45]

92 Hi oedd ei ail _____. (gwraig) [16]

93 Cafodd _____ _____. (triniaeth) [24] (llawfeddygol) [4]

94 Pa ____ sy'n dy _____ di? (cwrs) [20] (denu) [17]

95 Clywyd canu grymus o _____ yr Hen _____. (capel) [23] (Corff) [5]

96 Roedd yna _____ gormod o ____. (llawer) [55(i)] (pobl) [23]

97 Mae brawddeg ___ am _____ gwragedd. (ber) [4]

(cymwysterau) [23]

98 Gwnaeth Gwilym _____ i ____. (cinio) [24] (pawb) [23]

99 Mae 350 o'n _____ heb _____. (eglwysi) [79(v)]

(gweinidogion) [23]

100 Gwnaeth hefyd _____ o safon uchel. (gwaith) [55(i)]

Ymarferion 2

Yn y brawddegau isod nodwyd y ffurfiau sy'n cynnwys treiglad dechreuol mewn ffont italaig . Yn y blwch nodwch y math o dreiglad (meddal, trwynol, llaes) a'r rheswm dros dreiglo. Gellwch wirio eich atebion trwy gyfeirio at adran yn y gyfrol a ddynodir gan yr uwchrif(au) ar ochr dde'r bwlch.

1 Roedd y tŷ'n *wag* pan *ddaeth* adref o'r swyddfa.

_____ §8

_____ §48

2 Caeodd ei *lygaid*.

_____ §17

3 Ychydig a *wyddent* am y *fam*.

_____ §27

_____ §2

4 Mae wedi cael profion ar ei *chlustiau*.

_____ §67

5 Suddodd i'w *gadair*.

_____ §18

6 A oedd hi wedi gweld y *dystysgrif*?

_____ §2

7 Ni *chuddiodd* Einir y ffaith honno.

_____ §69

8 Tynnodd Dilys y siswrn o'i *phoced*.

_____ §68

9 Gwyddai *fod* ei mam yn hoffi meddwl ei bod yn deall pobl *dduon*

§56

§4, §2

10 Ni *ddaeth* neb i'r golwg.

§41

11 Pwy a *dorrodd* dy *wallt* di?

§27

§17

12 Dyrnodd y *glustog* yn ffyrnig.

§2

13 Roedd hi'n tyfu'n *ferch* arbennig o hardd.

§8

14 Mae hi'n ailsefyll ei *harholiad* TAGAU.

§79(i)

15 Mae'n *dda* dy *weld* di.

§8

§17

16 Roedd hi'n *benderfynol* nad âi hi'n nôl ym mis Medi.

§8

17 Byddai'n dod o hyd i'r gwir yn ei *hamser* hi ei hun.

§79(i)

18 Dodwyd y *ddau gwpan* o'r neilltu.

§15

§13

19 Mae *'ngwyliau* i wedi eu trefnu.

_____ §62

20 Roedd Betsan yn yr *ardd*.

_____ §2

21 Cawn ni *drafod* y peth eto.

_____ §24

22 Gwenodd ei *thad* arni.

_____ §67

23 Does dim llawer o *obaith*.

_____ §23

24 Tywalltodd y sieri i *ddau wydr*.

_____ §23

_____ §13

25 Safai cloc wyth *niwrnod* mewn un *gornel*.

_____ §63

_____ §11

26 Wrth y ffenestr safai piano cyngerdd mawr, ac, yn y gornel, *delyn*.

_____ §55(i)

27 Fe'i *harweiniwyd* i mewn i ystafell oer.

_____ §79(iii)

28 Gwelai Helen *wraig* a oedd yn ei *phumdegau* hwyr.

_____ §24

_____ §67

29 Roedd hyn yn *gysur* i Lowri.

_____ §8

30 Merch *dal* siapus oedd Menna.

_____ §4

31 Yfodd y gweddill o'i *choffi*.

_____ §68

32 Sut *gar* oedd ganddo?

_____ §30

33 Nid oedd teithio rhwng Caerdydd a'r Bala mor hawdd heb *gar*.

_____ §23

34 Peidiwch â siarad dwli, *ferch*.

_____ §39

35 Daeth cwsg i *ddileu* ei gofidiau.

_____ §23

36 Atebodd Rhys yn *frysiog*.

_____ §8

38 Arafodd y car a *throdd* at y bachgen.

_____ §72

39 A *wyddai* Dafydd ble roedd ei mam?

_____ §45

40 Maen nhw mor *ddiolchgar*.

_____ §6

41 Roedd tair neu *bedair* awr tan amser gwely.

_____ §38

42 Roedd ganddi *gyfarwyddiadau* yn ei llaw.

_____ §55(i)

43 Gwelodd *fwthyn* unig ar ochr y ffordd.

_____ §24

44 Mwythodd *glustiau*'r *gath*.

_____ §24

_____ §2

45 Fe'i dilynodd yn araf heibio i'r ysgubor *fawr*.

_____ §4

46 Yr oedd y beudy'n *wag* a *thywyll*.

_____ §8

_____ §72

47 Mi *gei* di ŵy i *frecwast*.

_____ §34

_____ §23

48 Pwy oedd fy *nhad* i?

_____ §62

49 Paid â *phoeni*.

_____ §71

50 Ochneidiodd Nia'n *ddiamynedd*.

_____ §8

51 Aeth Ann yn ôl i'r *gegin*.

_____ §2

52 Cydiodd yn y tebot a'i *gludo* yn ôl i'r bwrdd.

_____ §18

53 Ceisiai Ioan ei *hanwybyddu*.

_____ §79(i)

54 Mae hi wedi mwynhau ei *the*.

_____ §67

55 Chwarddodd y *wraig*.

_____ §2

56 Celwyddgi *fu* Ieuan erioed.

_____ §29

57 Clywai *ddŵr* y bath yn cael ei *redeg*.

_____ §24

_____ §17

58 Does dim mwg heb *dân*.

_____ §23

59 Dyna *drugaredd* ei bod hi'n byw gerllaw.

_____ §19

60 Roedd ei *chlyw* yn gwaethygu.

_____ §67

61 Edrychodd y *ddau* ar yr *olygfa*.

_____ §3

_____ §2

101

62 Roeddet ti wedi neidio ar dy *draed*.

_____ §17

63 Ni *fedrai ddioddef* ffyliaid.

_____ §41

_____ §24

64 Carai ei *wlad*, ei *deulu* a'i *bobl* yn angerddol.

_____ §17

_____ §17

_____ §18

65 Roedd ganddynt hwy *lysenw* arno.

_____ §55(ii)

66 Nid yfai *win*.

_____ §24

67 Rhaid cael gwybodaeth *bendant*.

_____ §4

68 Gafaelodd y meddyg yn ei *fraich* yn *garedig*.

_____ §17

_____ §8

69 Dyn peryglus a *phwysig* oedd hwn.

_____ §72

70 Mae ei *ddyfodol* yn *ddu* iawn.

_____ §17

_____ §8

71 Nid oedd na maddeuant na *thosturi.*

_____ §70

72 Rwyt ti'n iach, *gyfaill.*

_____ §39

73 Hwyl yw'r ffisig gorau a *ddyfeisiwyd* erioed.

_____ §27

74 Dyna *farn* y gohebwyr.

_____ §19

75 Rwy'n *ddiogel* heno.

_____ §8

76 Clywais si *fod* paratoadau mawr wedi eu gwneud.

_____ §56

77 Bydd yn treulio'r nos yng *nghelloedd* yr heddlu.

_____ §65

78 Anwybyddodd y dieithryn *druan oslef rybuddiol* y llais.

_____ §33

_____ §24

_____ §4

79 Mae dy *ran* di'n *bwysig.*

_____ §17

_____ §8

80 Mae'n ysu am ein difa ni cyn *gynted* ag y gall.

_____ §6

81 Ymhen tua deng *niwrnod* byddaf yn Sbaen.

_____ §63

82 Pwysodd ei *law* yn *gyfeillgar* ar ysgwydd y plentyn.

_____ §17

_____ §8

83 Taith *fer* o *filltir*, *ddeng munud* neu *lai*, oedd o'r *draffordd* i *gartref* Gwen.

_____ §4

_____ §23

_____ §37

_____ §38

_____ §2

_____ §23

84 Mae hi mor *feirniadol* o *bawb* a *phopeth*.

_____ §6

_____ §23

_____ §72

85 Cafodd *ddamwain gas* ond fe *fydd* yn iawn yn y man.

_____ §24

_____ §4

_____ §34

86 Daeth ei *was* i'w *chyfarfod*.

_____ §17

_____ §18

87 Mae'n cuddio ei *Chymreictod* yn *ofalus* am *ryw reswm*.

§67

§8

§23

§5

88 Gwna dy *orau*. Gwn na *fyddi* di'n ein siomi.

§17

§41

89 Yn ei *law* daliai *ddryll* bygythiol.

§17

§24

90 Does gan Islwyn *fawr* i'w *ddweud* amdano.

§42

§18

91 Mae Robert am *gysylltu* â holl *bobl fusnes* Cymru.

§23

§5

§22(i)

92 Mae'r *dechnoleg* newydd yn ffordd *ddelfrydol* o *gysylltu* â'n gilydd.

§2

§4

§23

93 Roedd hi'n llefaru yn *ddi-stop*.

§8

94 Oni *fyddai*'n braf, ambell *dro*, ei *glywed* yn dweud 'Dyma *bolisi*'r blaid . . .'

§46

§5

§17

§19

§2

95 Roedd yng *nghanol* degau eraill o *gyffelyb fryd*.

§65

§23

§5

96 Uwchben ambell *lys*, mae yna *gerflyn* o *Gyfiawnder* a'r *dafol* yn ei llaw.

§5

§55(i)

§23

§2

97 Bydd colofnau *lu* yn y *wasg* yn trafod y digwyddiad.

§14

§2

98 Mae cannoedd o *fudiadau* gwirfoddol yng *Nghymru*.

§23

§65

99 Yr ail *ddyn* yn y rhes *flaen* yw'r llofrudd.

§16

§4

100 Mae'r swyddoion yn rhoi'r bai ar *doriadau* yn y budd-dal tai i *bobl* ifanc *ddigartref.*

§23

§23

§4

Ymarferion 3

Rhowch y geiriau a argreffir yn eu gwedd gysefin ar ochr dde'r ddalen, yn y blwch priodol yn y testun a'u treiglo os oes angen. Gellwch wirio eich atebion trwy ymgynghori â'r testun cyflawn ar dudalennau 114-18.

Y _____ Fedrus   Gwraig

Pwy a all ddod o hyd i wraig fedrus? Y mae hi'n fwy gwerthfawr na gemau. Y mae calon ei gŵr yn ymddiried ynddi, ac ni fydd pall ar ei _____.   henillion
Y mae'n gwneud _____ iddo yn hytrach na cholled,   daioni
a hynny ar hyd ei hoes. Y mae'n ceisio gwlân a llin,
ac yn cael pleser o _____ â'i dwylo. Y mae, fel   gweithio
llongau masnachwr, yn dwyn ei hymborth o bell. Y
mae'n codi cyn iddi _____, yn darparu bwyd i'w   dyddio
_____, ac yn trefnu gorchwylion ei morynion. Ar   tylwyth
ôl ystyried yn _____, y mae'n prynu maes, ac yn   manwl
plannu gwinllan â'i henillion. Y mae'n gwregysu ei
llwynau â nerth, ac yn dangos mor ____ yw ei   cryf
breichiau. Y mae'n gofalu bod ei _____ yn   busnes
broffidiol, ac ni ____ ei lamp yn diffodd trwy'r nos. Y   bydd
mae'n gosod ei llaw ar y cogail, a'i dwylo'n gafael yn
y werthyd. Y mae'n estyn ei llaw i'r anghenus, a'i
dwylo i'r tlawd. Nid yw'n pryderu am ei thylwyth
pan ____ eira, oherwydd byddant i gyd wedi eu   daw
dilladu'n ____. Y mae'n gwneud cwrlidau iddi ei   clyd
hun, ac y mae ei gwisg o liain main a _____. Y mae   porffor
ei gŵr yn adnabyddus yn y pyrth, pan yw'n eistedd
gyda _____ yr ardal. Y mae'n gwneud   henuriaid
gwisgoedd o liain ac yn eu gwerthu, ac yn darparu
gwregysau i'r masnachwr. Y mae wedi ei gwisgo â
nerth ac anrhydedd, ac yn _____'r dyfodol dan   wynebu
chwerthin. Y mae'n siarad yn _____, a cheir   doeth
cyfarwyddyd caredig ar ei _____. Y mae'n sylwi'n   tafod
fanwl ar yr hyn sy'n digwydd i'w theulu, ac nid yw'n
bwyta bara segurdod. Y mae ei _____ yn tyfu ac yn   plant

ei bendithio; a ____ ei gŵr yn ei chanmol. Y mae
llawer o _____ wedi gweithio'n fedrus, ond yr wyt
ti'n rhagori arnynt i gyd. Y mae tegwch yn twyllo, a
phrydferthwch yn darfod, ond y wraig sy'n ofni'r
Arglwydd, y mae hon i'w _____. Rhowch iddi o
ffrwyth ei _____, a bydded i'w gwaith ei chanmol yn
y pyrth.

(Diarhebion 31 : 10-31)

bydd
merched

canmol
dwylo

Bu galw'n _____ yng Nghymru am ailddiffinio
llenyddiaeth a beirniadaeth lenyddol, am fod safonau
beirniadol yn ymddangos fel petaent ar _____, y maes
llenyddol yn llawn adfeilion, a hynny'n rhoi cyfle i
bob math o _____ anrheithio ac ysbeilio. Ar ôl i
Ddafydd Elis Thomas glodfori'r Trwynau Coch, onid
yw'n hen bryd adfer Cyfraith a _____ i'r byd
beirniadol Cymraeg? Oni fyddai'n _____ cael John
Morris-Jones arall i garthu'n ____ unwaith eto,
Saunders Lewis arall i atgyfnerthu'r syniad o
draddodiad llenyddol organig, a Thomas Parry
newydd i fapio'i hanes gan ddweud nid yn unig sut y
bu ond sut y dylai fod? Mae yna ____ nag un
ymgeisydd (teilwng?) yn ymrithio ar y _____ yn
barod, yn fygythiol yn eu lifrau duon, ac yn paratoi i
_____'r anarchwyr o feirniaid fel y buont eisoes yn
troi tu min at _____ gwleidyddol.

diweddar

chwâl

caridyms

Trefn
tonic
iaith

mwy
gorwel

pastynu
protestwyr

Gormodiaith _____ honni fod y ffasgwyr llenyddol
eisoes yn _____'u tanciau dros ein tiriogaeth
_____, oherwydd mae'n byd diwylliannol ni yn rhy
_____ ar gyfer hynny, a'r gelynion yn
ysgwyd dwylo yn eu menyg cid yn amlach na _____.
Ond mae'n deg wynebu'r cwestiynau sy'n poeni
llawer o bobl sy'n ymhél â llenyddiaeth. Beth yw
natur y gweithgarwch hwn sy'n esgor ar farddoniaeth
a rhyddiaith _____? Beth yw swyddogaeth
_____? Sut y mae ei thafoli? Oes yna

buasai
rowlio
llenyddol
boneddigaiddd
peidio

creadigol
llenyddiaeth

safonau gwrthrychol diysgog y gellir dibynnu arnynt?
Hen _____, ond cwestiynau nad yw'r hen   *cwestiynau*
atebion iddynt fel pe'n tycio bellach. Onid oes mawr
angen felly am i ryw _____ neu Academi yn   *pwyllgor*
rhywle atgyweirio'r hen _____ fel bod gennym   *canllawiau*
ryw arweiniad? Onid yw hi'n beryg inni golli
pob rhithyn o _____ at ein gwŷr enwog, y rhai a   *parch*
_____ ein traddodiad llenyddol unigryw, ac yn sgîl   *moldiodd*
hynny _____'r gelfyddyd lenyddol ei hun?   *diraddio*

(*Cnoi Cil ar Lenyddiaeth*, John Rowlands t.11)

Nid gwaith hawdd, mewn unrhyw oes na
_____, yw esbonio agwedd pobl at iaith a   *cymdeithas*
_____ anos yw gwneud hynny mewn perthynas â   *tasg*
gwlad mor ____ ei thystiolaeth â Chymru'r Oesoedd   *prin*
Canol diweddar.   Y mae ansawdd iaith, ei
swyddogaeth a'r bri a roddir arni, safle _____ a   *cymdeithasol*
grym gwleidyddol ac economaidd y rhai sy'n ei
harddel,   twf   llythrennedd   ac   aeddfedrwydd
hunaniaeth cenedl, bob un yn elfennau y dylid rhoi
sylw iddynt wrth gynnig esboniad. Yn hanesyddiaeth
yr iaith yng _____, er hynny, ar gymal cynhennus yr   *Cymru*
iaith yn Neddf Uno 1536 ac ar bolisïau gwladwriaeth
sofran mewn perthynas ag un o'i rhanbarthau y
rhoddwyd y pwyslais wrth geisio rhoi cyfrif am safle
adfydus y _____ yn y canrifoedd modern. Ond yn   *Cymraeg*
yr ysgrif hon ceisiwyd awgrymu bod i ganrifoedd yr
Oesoedd Canol diweddar eu lle allweddol yn hanes yr
iaith ac yn _____ agwedd y genedl tuag ati.   *datblygiad*

(*Llên Cymru* 18 : 191)

____ tro y bydd sylwebydd gêm rygbi yn gweud bod   *Pob*
maswr yn trosi cic _____, bob tro y bydd y bêl   *adlam*
hirgron yn rhedeg dros y ffin gwsg, mi ____ Eic eto'n   *bydd*

fyw. Bob tro y bydd Meirion Ifans yn sgrifennu cerdd, mi fydd Eic eto'n ___. Bob tro y bydd Siân Phillips yn llefaru gair ar _____, mi fydd Eic eto'n fyw. Bob tro y gwrandewir ar un o _____ Cymraeg Mary Hopkin, mi fydd Eic eto'n fyw. Bob tro y bydd rhywun yn fy ____ inne'n Dafydd, mi fydd Eic eto'n fyw. Dyledwr wyf i'r dyn hwn. Fy athro oedd; ef a'm dysgws. Diolch amdano.

byw
llwyfan
caneuon

galw

(*Eic Davies*, gol. Myrddin ap Dafydd t.112)

Fel marsiandïwr llwyddiannus, cymerai Charles Herbert _____ mawr i beidio â thynnu neb i'w ben. Prynai a gwerthai ei nwyddau'n deg ac ni cheisiai fyw yn uwch na'i stad. Ei unig weithred _____ oedd rhoi gormod o sylw i'r _____, ac ymhen tipyn, er mwyn ymddangos yn _____, ᵕ fe'i priododd hi. Trwy _____ nid oedd hanes am y weithred _____ hon wedi cyrraedd Cymru a _____ ei wraig gyfreithlon. Ni wyddai Catherine am ei fywyd a'i _____ yng Nghymru, wrth gwrs. Digon iddi hi oedd bod Charles Herbert yn ei charu ac yn ei _____ yn dda. Ceisiodd holi Herbert am ei gefndir unwaith neu ____, mae'n wir, ond yn achlysurol yn unig y digwyddai hynny. Nid oedd ganddi ddigon o ddiddordeb yn ei _____ i wasgu atebion o'i enau ac yntau'n amlwg amharod i ddatgelu dim o'i _____. Na, nid oedd Catherine wedi breuddwydio mai Cymro oedd ei gŵr, heb sôn am ysbïwr.

gofal

byrbwyll
morwyn
parchus
trugaredd
twyllodrus
clustiau
teulu

trin
dwy

gorffennol

cyfrinachau

(*Dyddiau'r Drin*, Emyr Hywel t. 18)

Rhaid imi ysgrifennu hwn neu ____. Yr oedd dianc Iolo fel mêl wrth ymyl peth fel hyn. O'r dydd y bûm yn y banc ni _____ funud o heddwch na dydd na nos. I feddwl bod yr un y rhoddais fy holl ymddiried

marw

cefais

ynddo wedi cymryd yr arian y bûm yn eu hel mor
_____ drwy gadw lletywyr, er mwyn eu cael at   *diwyd*
_____ dynes arall, ac i feddwl ei fod wedi twyllo   *gwasanaeth*
ei _____ hefyd. Y mae dwyn, lladrata, ie dyna beth   *meistr*
ydyw, tu hwnt i'm dirnad. Mae fy meddwl yn crwydro
i bobman ac yn dyfod yn ôl i'r un ___ o hyd, yn   *man*
crwydro i geisio dyfod o hyd i'r pam. Y pam na
_____ ei ateb am nad yw Iolo yma i ateb drosto'i hun.   *gallaf*
A ydyw cuddio yn rhan o'i natur, neu ynteu a oes
rhywbeth ynof fi a _____ iddo guddio pethau? A   *gwnâi*
fuasai rhyw _____ arall yn fwy trugarog, ac yn gallu   *dynes*
cydymddwyn yn well? Dyma fi'n holi'r cwestiynnau
hyn am un y bûm yn byw yn agos i ddeuddeng
_____ ag ef, ac yn methu eu hateb, nac ychwaith yn   *blynedd*
methu rhoi ateb _____ am y ffordd y buaswn i fy   *pendant*
hun yn ymddwyn. Nid ydym yn ein hadnabod ein
hunain ac y mae hynny yn fy _____. Caf arswyd   *dychryn*
wrth feddwl fy mod wedi byw mor agos at Iolo, yn
ddigon agos i allu darllen ei _____, a'i fod   *meddyliau*
yntau yn caru efo dynes arall. Ond nid yw hynyna'n
brifo. Dychryn y mae. Mynd â'r hyn a _____ trwy   *cesglais*
_____ sy'n brifo.   *llafur*

Y Byw sy'n Cysgu, Kate Roberts
(Talfyriad gan Christine M. Jones) t. 45

Cerddai Lora'n ôl a blaen o gwmpas beudái ei hen
_____, lle yr oedd Jane, ei chwaer yn byw. Daethai   *cartref*
yno efo bws plant yr ysgol amser te, ac yn awr yr
oedd yn tynnu at yr amser i Owen ddyfod o'r
_____. Yr oedd yn falch o weld Rhys yn ei   *chwarel*
fwynhau ei hun cystal â'r un, a Margaid wedi gwneud
mwng ceffyl am ei ____ gyda'r gwair.   *gwddw*

Cerddodd oddi wrth y tŷ tuag at y llwybr i'r mynydd i
gyfarfod ag Owen. Cofiai fel y byddai yn mynd i
gyfarfod â'i ____ pan oedd tua'r un oed â Derith, er   *tad*
mwyn cael cario ei biser bach chwarel am y canllath

diwethaf, ac fel yr hoffai ysgwyd yn ôl a blaen fel cloch yr ysgol. Yr oedd y mynydd y tu allan i _____ Bryn Terfyn fel erioed yn llawn o ___ a baw ieir a gwyddau a defaid. Cofiai fel y byddai yn gwneud ynys iddi ei hun yng nghanol y 'nialwch yma, er mwyn cael lle i eistedd i wnïo a gwisgo ei dol. Gwelodd Owen yn dyfod, gan _____ ei draed yn ____, a safodd yntau i gymryd sbel a rhoddi ei bwys ar gilbost y llidiart. Edrychai yn _____ na phan welsai ef cynt, ei wynt yn fyr, a'i chwys yn rhedeg yn ffrydiau bychain oddi ar ei _____ a'i dalcen.

Y Byw sy'n Cysgu, Kate Roberts
(Talfyriad gan Christine M. Jones) t. 52

libart
plu
llusgo
blinedig
gwaelach
arlais

Chwaraewyd gornest ryngwladol _____ y tymor hwn ar Ionawr 16eg—y _____ o bum pwynt yn unig dros un o wledydd Ail Adran y byd, sef yr Eidal. Fe'm ceryddir yn bur aml am gyfeirio at y _____ honno mewn modd diraddiol, ond nid i'r Brif Adran y perthyn hi'n sicr, er iddi drechu'r Alban o bedwar cais i un (29-17) yn Rieti ddeng _____ cyn chwarae ar y Maes Cenedlaethol. Ni sgoriwyd yr un pwynt yn yr hanner awr olaf pan oedd hi'n 31 pwynt i 6—paham?

cyntaf
buddugoliaeth
cenedl
diwrnod

Dywedodd y Capten, John Humphreys, mai diffyg canolbwyntio oedd yn _____ ynghyd â rhywfaint o ymlacio o bosibl, ond tybed? Y prif reswm pam na _____ sgorio tri chais arall yn erbyn yr Eidal oedd diffyg ffitrwydd rhai o'n blaenwyr; methu â deall wyf i pam nad ydyw pawb yn gallu gweld hyn, neu gyfaddef mai dyna'r rheswm. Rhaid sylweddoli nad taldra yw'r rhinwedd bennaf yn yr oes hon ar y meysydd rhyngwladol; gyda _____ prop megis John Davies, gall clo chwe _____ a hanner gael meddiant yn y ____ cyhyd ag ei fod yn athletaidd ac yn heini.

cyfrifol
gellid
cymorth
troedfedd
lein

Barn, Chwefror 1996 t. 15

Atebion i Ymarferion 3

Y Wraig Fedrus

Pwy a all ddod o hyd i wraig fedrus? Y mae hi'n fwy gwerthfawr na gemau. Y mae calon ei gŵr yn ymddiried ynddi, ac ni fydd pall ar ei henillion. Y mae'n gwneud daioni iddo yn hytrach na cholled, a hynny ar hyd ei hoes. Y mae'n ceisio gwlân a llin, ac yn cael pleser o weithio â'i dwylo. Y mae, fel llongau masnachwr, yn dwyn ei hymborth o bell. Y mae'n codi cyn iddi ddyddio, yn darparu bwyd i'w thylwyth, ac yn trefnu gorchwylion ei morynion. Ar ôl ystyried yn fanwl, y mae'n prynu maes, ac yn plannu gwinllan â'i henillion. Y mae'n gwregysu ei llwynau â nerth, ac yn dangos mor gryf yw ei breichiau. Y mae'n gofalu bod ei busnes yn broffidiol, ac ni fydd ei lamp yn diffodd trwy'r nos. Y mae'n gosod ei llaw ar y cogail, a'i dwylo'n gafael yn y werthyd. Y mae'n estyn ei llaw i'r anghenus, a'i dwylo i'r tlawd. Nid yw'n pryderu am ei thylwyth pan ddaw eira, oherwydd byddant i gyd wedi eu dilladu'n glyd. Y mae'n gwneud cwrlidau iddi ei hun, ac y mae ei gwisg o liain main a phorffor. Y mae ei gŵr yn adnabyddus yn y pyrth, pan yw'n eistedd gyda henuriaid yr ardal. Y mae'n gwneud gwisgoedd o liain ac yn eu gwerthu, ac yn darparu gwregysau i'r masnachwr. Y mae wedi ei gwisgo â nerth ac anrhydedd, ac yn wynebu'r dyfodol dan chwerthin. Y mae'n siarad yn ddoeth, a cheir cyfarwyddyd caredig ar ei thafod. Y mae'n sylwi'n fanwl ar yr hyn sy'n digwydd i'w theulu, ac nid yw'n bwyta bara segurdod. Y mae ei phlant yn tyfu ac yn ei bendithio; a bydd ei gŵr yn ei chanmol. Y mae llawer o ferched wedi gweithio'n fedrus, ond yr wyt ti'n rhagori arnynt i gyd. Y mae tegwch yn twyllo, a phrydferthwch yn darfod, ond y wraig sy'n ofni'r Arglwydd, y mae hon i'w chanmol. Rhowch iddi o ffrwyth ei dwylo, a bydded i'w gwaith ei chanmol yn y pyrth.

(Diarhebion 31 : 10-31)

Bu galw'n ddiweddar yng Nghymru am ailddiffinio llenyddiaeth a beirniadaeth lenyddol, am fod safonau beirniadol yn ymddangos fel petaent ar chwâl, y maes llenyddol yn llawn adfeilion, a hynny'n rhoi cyfle i bob math o garidyms anrheithio ac ysbeilio. Ar ôl i Ddafydd Elis Thomas glodfori'r Trwynau Coch, onid yw'n hen bryd adfer Cyfraith a Threfn i'r byd beirniadol Cymraeg? Oni fyddai'n donic cael John Morris-Jones arall i garthu'n hiaith unwaith eto, Saunders Lewis arall i atgyfnerthu'r syniad o draddodiad llenyddol organig, a Thomas Parry newydd i fapio'i hanes gan ddweud nid yn unig sut y bu ond sut y dylai fod? Mae yna fwy nag un ymgeisydd (teilwng?) yn ymrithio ar y gorwel yn barod, yn fygythiol yn eu lifrau duon, ac yn paratoi i bastynu'r anarchwyr o feirniaid fel y buont eisoes yn troi tu min at brotestwyr gwleidyddol.

Gormodiaith fuasai honni fod y ffasgwyr llenyddol eisoes yn rowlio'u tanciau dros ein tiriogaeth lenyddol, oherwydd mae'n byd diwylliannol ni yn rhy foneddigaidd ar gyfer hynny, a'r gelynion yn ysgwyd dwylo yn eu menyg cid yn amlach na pheidio. Ond mae'n deg wynebu'r cwestiynau sy'n poeni llawer o bobl sy'n ymhél â llenyddiaeth. Beth yw natur y gweithgarwch hwn sy'n esgor ar farddoniaeth a rhyddiaith greadigol? Beth yw swyddogaeth llenyddiaeth? Sut y mae ei thafoli? Oes yna safonau gwrthrychol diysgog y gellir dibynnu arnynt? Hen gwestiynau, ond cwestiynau nad yw'r hen atebion iddynt fel pe'n tycio bellach. Onid oes mawr angen felly am i ryw bwyllgor neu Academi yn rhywle atgyweirio'r hen ganllawiau fel bod gennym ryw arweiniad? Onid yw hi'n beryg inni golli pob rhithyn o barch at ein gwŷr enwog, y rhai a foldiodd ein traddodiad llenyddol unigryw, ac yn sgîl hynny ddiraddio'r gelfyddyd lenyddol ei hun?

(Cnoi Cil ar Lenyddiaeth, John Rowlands t.11)

Nid gwaith hawdd, mewn unrhyw oes na chymdeithas, yw esbonio agwedd pobl at iaith a thasg anos yw gwneud hynny mewn perthynas â gwlad mor brin ei thystiolaeth â Chymru'r Oesoedd Canol diweddar. Y mae ansawdd iaith, ei swyddogaeth a'r bri a roddir arni, safle gymdeithasol a grym gwleidyddol ac economaidd y rhai sy'n ei harddel, twf llythrennedd ac aeddfedrwydd hunaniaeth cenedl, bob un yn elfennau y dylid rhoi sylw iddynt wrth gynnig esboniad. Yn hanesyddiaeth yr iaith yng Nghymru, er hynny, ar gymal cynhennus yr iaith yn Neddf Uno 1536 ac ar bolisïau gwladwriaeth sofran mewn perthynas ag un o'i rhanbarthau y rhoddwyd y pwyslais wrth geisio rhoi cyfrif am safle adfydus y Gymraeg yn y canrifoedd modern. Ond yn yr ysgrif hon ceisiwyd awgrymu bod i ganrifoedd yr Oesoedd

Canol diweddar eu lle allweddol yn hanes yr iaith ac yn natblygiad agwedd y genedl tuag ati.

(*Llên Cymru* 18 : 191)

Bob tro y bydd sylwebydd gêm rygbi yn gweud bod maswr yn trosi cic adlam, bob tro y bydd y bêl hirgron yn rhedeg dros y ffin gwsg, mi fydd Eic eto'n fyw. Bob tro y bydd Meirion Ifans yn sgrifennu cerdd, mi fydd Eic eto'n fyw. Bob tro y bydd Siân Phillips yn llefaru gair ar lwyfan, mi fydd Eic eto'n fyw. Bob tro y gwrandewir ar un o ganeuon Cymraeg Mary Hopkin, mi fydd Eic eto'n fyw. Bob tro y bydd rhywun yn fy ngalw inne'n Dafydd, mi fydd Eic eto'n fyw. Dyledwr wyf i'r dyn hwn. Fy athro oedd; ef a'm dysgws. Diolch amdano.

(*Eic Davies*, gol. Myrddin ap Dafydd t.112)

Fel marsiandïwr llwyddiannus, cymerai Charles Herbert ofal mawr i beidio â thynnu neb i'w ben. Prynai a gwerthai ei nwyddau'n deg ac ni cheisiai fyw yn uwch na'i stad. Ei unig weithred fyrbwyll oedd rhoi gormod o sylw i'r forwyn, ac ymhen tipyn, er mwyn ymddangos yn barchus, fe'i priododd hi. Trwy drugaredd nid oedd hanes am y weithred dwyllodrus hon wedi cyrraedd Cymru a chlustiau ei wraig gyfreithlon. Ni wyddai Catherine am ei fywyd a'i deulu yng Nghymru, wrth gwrs. Digon iddi hi oedd bod Charles Herbert yn ei charu ac yn ei thrin yn dda. Ceisiodd holi Herbert am ei gefndir unwaith neu ddwy, mae'n wir, ond yn achlysurol yn unig y digwyddai hynny. Nid oedd ganddi ddigon o ddiddordeb yn ei orffennol i wasgu atebion o'i enau ac yntau'n amlwg amharod i ddatgelu dim o'i gyfrinachau. Na, nid oedd Catherine wedi breuddwydio mai Cymro oedd ei gŵr, heb sôn am ysbïwr.

(*Dyddiau'r Drin*, Emyr Hywel t. 18)

Rhaid imi ysgrifennu hwn neu farw. Yr oedd dianc Iolo fel mêl wrth ymyl peth fel hyn. O'r dydd y bûm yn y banc ni chefais funud o heddwch na dydd na nos. I feddwl bod yr un y rhoddais fy holl ymddiried ynddo wedi cymryd yr arian y bûm yn eu hel mor ddiwyd drwy gadw lletywyr, er mwyn eu cael at wasanaeth dynes arall, ac i feddwl ei fod wedi twyllo ei feistr hefyd. Y mae dwyn, lladrata, ie dyna beth ydyw, tu hwnt i'm dirnad. Mae fy meddwl yn crwydro i bobman ac yn dyfod yn ôl i'r un fan o hyd, yn crwydro i geisio dyfod o hyd i'r pam. Y pam na allaf ei ateb am nad yw Iolo yma i ateb drosto'i hun. A ydyw cuddio yn rhan o'i natur, neu ynteu a oes rhywbeth ynof fi a wnâi iddo guddio pethau? A fuasai rhyw ddynes arall yn fwy trugarog, ac yn gallu cydymddwyn yn well? Dyma fi'n holi'r cwestiynnau hyn am un y bûm yn byw yn agos i ddeuddeng mlynedd ag ef, ac yn methu eu hateb, nac ychwaith yn methu rhoi ateb pendant am y ffordd y buaswn i fy hun yn ymddwyn. Nid ydym yn ein hadnabod ein hunain ac y mae hynny yn fy nychryn. Caf arswyd wrth feddwl fy mod wedi byw mor agos at Iolo, yn ddigon agos i allu darllen ei feddyliau, a'i fod yntau yn caru efo dynes arall. Ond nid yw hynyna'n brifo. Dychryn y mae. Mynd â'r hyn a gesglais trwy lafur sy'n brifo.

Y Byw sy'n Cysgu, Kate Roberts
(Talfyriad gan Christine M. Jones) t. 45

Cerddai Lora'n ôl a blaen o gwmpas beudái ei hen gartref, lle yr oedd Jane, ei chwaer yn byw. Daethai yno efo bws plant yr ysgol amser te, ac yn awr yr oedd yn tynnu at yr amser i Owen ddyfod o'r chwarel. Yr oedd yn falch o weld Rhys yn ei fwynhau ei hun cystal â'r un, a Margaid wedi gwneud mwng ceffyl am ei wddw gyda'r gwair.

Cerddodd oddi wrth y tŷ tuag at y llwybr i'r mynydd i gyfarfod ag Owen. Cofiai fel y byddai yn mynd i gyfarfod â'i thad pan oedd tua'r un oed â Derith, er mwyn cael cario ei biser bach chwarel am y canllath diwethaf, ac fel yr hoffai ysgwyd yn ôl a blaen fel cloch yr ysgol. Yr oedd y mynydd y tu allan i libart Bryn Terfyn fel erioed yn llawn o blu a baw ieir a gwyddau a defaid. Cofiai fel y byddai yn gwneud ynys iddi ei hun yng nghanol y 'nialwch yma , er mwyn cael lle i eistedd i wnïo a gwisgo ei dol. Gwelodd Owen yn dyfod, gan lusgo ei draed yn flinedig, a safodd yntau i gymryd sbel a rhoddi ei bwys ar gilbost y llidiart. Edrychai yn waelach na phan welsai ef cynt, ei wynt yn fyr, a'i chwys yn rhedeg yn ffrydiau bychain oddi ar ei arlais a'i dalcen.

Y Byw sy'n Cysgu, Kate Roberts
(Talfyriad gan Christine M. Jones) t. 52

Chwaraewyd gornest ryngwladol gyntaf y tymor hwn ar Ionawr 16eg—y fuddugoliaeth o bum pwynt yn unig dros un o wledydd Ail Adran y byd, sef yr Eidal. Fe'm ceryddir yn bur aml am gyfeirio at y genedl honno mewn modd diraddiol, ond nid i'r Brif Adran y perthyn hi'n sicr, er iddi drechu'r Alban o bedwar cais i un (29-17) yn Rieti ddeng niwrnod cyn chwarae ar y Maes Cenedlaethol. Ni sgoriwyd yr un pwynt yn yr hanner awr olaf pan oedd hi'n 31 pwynt i 6—paham?

Dywedodd y Capten, John Humphreys, mai diffyg canolbwyntio oedd yn gyfrifol ynghyd â rhywfaint o ymlacio o bosibl, ond tybed? Y prif reswm pam na ellid sgorio tri chais arall yn erbyn yr Eidal oedd diffyg ffitrwydd rhai o'n blaenwyr; methu â deall wyf i pam nad ydyw pawb yn gallu gweld hyn, neu gyfaddef mai dyna'r rheswm. Rhaid sylweddoli nad taldra yw'r rhinwedd bennaf yn yr oes hon ar y meysydd rhyngwladol; gyda chymorth prop megis John Davies, gall clo chwe throedfedd a hanner gael meddiant yn y lein cyhyd ag ei fod yn athletaidd ac yn heini.

Barn, Chwefror 1996 t. 15

Llyfryddiaeth

Y prif ganllawiau llyfryddol ar gyfer astudio'r iaith Gymraeg yw *Bibliotheca Celtica* a *Llyfryddiaeth Cymru, A Bibliography of Wales,* a gyhoeddir gan Lyfrgell Genedlaethol Cymru, Aberystwyth; *The Year's Work in Modern Languages* a gyhoeddir gan The Modern Humanities Research Association; *Studia Celtica* 1- (1966-), 'Rhestr o lyfrau ac erthyglau ar yr ieithoedd Celtaidd a dderbyniwyd yn Llyfrgell Genedlaethol Cymru, Aberystwyth'. Cynhwysir adran ar yr ieithoedd Celtaidd yn ogystal yn *Linguistic Bibliography* a gyhoeddir gan Bwyllgor Sefydlog Cydwladol yr Ieithyddion.

Cydnabyddir pob enghraifft a ddaw o destun llenyddol a dengys y llyfryddiaeth faint fy nyled i waith awduron cyfoes wrth lunio'r gyfrol hon. Yn 1988 ymddangosodd Y Beibl Cymraeg Newydd; yr oedd y gwaith hwnnw, yn naturiol ddigon, yn gloddfa gyfoethog ar gyfer y gyfrol hon ond defnyddiwyd, yn ogystal, enghreifftiau o argraffiadau cynt. Daw rhai o'r enghreifftiau o amryw ramadegau Cymraeg.

(A) Llyfrau'r Beibl

Llyfrau'r Hen Destament
Gen., Ex., Lef., Num., Deut., Jos., Barn., Ruth, 1 Sam., 2 Sam., 1 Bren., 2 Bren., 1 Cron., 2 Cron., Esra, Neh., Esther, Job, Salmau, Diar., Preg., Can., Eseia, Jer., Gal., Esec., Dan., Hos., Joel, Amos, Obad., Jona, Micha, Nah., Hab., Seff., Hag., Sech., Mal.

Llyfrau'r Testament Newydd
Mth., Mc., Lc., In., Act., Rhuf., 1 Cor., 2 Cor., Gal., Eff., Phil., Col., 1 Thes., 2 Thes., 1 Tim., 2 Tim., Tit., Philem., Heb., Iago, 1 Pedr, 2 Pedr, 1 In., 2In., Jwdas, Dat.

(B) Geiriaduron

Collins Spurrell Welsh Dictionary (1991). Glasgow: HarperCollins.
Geiriadur Prifysgol Cymru: A Dictionary of the Welsh Language (1950-).
Caerdydd: Gwasg Prifysgol Cymru.
Evans, H. Meurig 1981: *Y Geiriadur Cymraeg Cyfoes.* Llandybïe: Hughes a'i Fab.

Evans, H. Meurig a Thomas, W. O. 1958: *Y Geiriadur Mawr* Llandysul: Gwasg Gomer.

Y Thesawrws Cymraeg 1993. Abertawe: Gwasg Pobl Cymru.

Griffiths, B. a D. G. Jones 1995: *Geiriadur Yr Academi: The Welsh Academy English-Welsh Dictionary*, Caerdydd: Gwasg Prifysgol Cymru.

(C) Gramadegau a Gweithiau Eraill ar Iaith

Anwyl, Edward 1897: *Welsh Grammar.* London: Swann, Sonnenschein & Co. Ltd.

Awbrey, G. M. 1984: Welsh. Yn Peter Trudgill (ed.), *Language in the British Isles.* Cambridge: Cambridge University Press.

Awbrey, G. M. 1988: Pembrokeshire Negatives. *Bwletin y Bwrdd Gwybodau Celtaidd*, 35: 37-49.

Ball, Martin J. (ed.) 1988: *The Use of Welsh.* Clevedon: Multilingual Matters.

Ball, Martin J. and Müller, Nicole 1992: *Mutation in Welsh.* London: Routledge.

Brake, Phylip J. 1980: Astudiaeth o Seinyddiaeth a Morffoleg Tafodiaith Cwm-ann a'r Cylch. Traethawd M.A. (Prifysgol Cymru).

Cyd-Bwyllgor Addysg Cymru 1991: *Ffurfiau Ysgrifenedig Cymraeg Llafar* Caerdydd: Cyd-Bwyllgor Addysg Cymru.

Davies, Cennard 1988: Cymraeg Byw. Yn M. J. Ball (ed.), tt. 200-10.

Davies, Evan J. 1955: Astudiaeth Gymharol o Dafodieithoedd Dihewyd a Llandygwydd. Traethawd M.A. (Prifysgol Cymru).

Davies, J. J. G. 1934: Astudiaeth o Gymraeg llafar ardal Ceinewydd. Traethawd Ph.D. (Prifysgol Cymru).

Evans, D. Simon 1964: *A Grammar of Middle Welsh.* Dublin: Dublin Institute of Advanced Studies.

Evans, J. J. 1946 *Gramadeg Cymraeg.* Aberystwyth: Gwasg Aberystwyth.

Fife, J. 1986: Literary vs. colloquial Welsh: problems of definition. *Word*, 37: 141-51.

Fife, J. and Poppe, E. (eds) 1991: *Studies in Brythonic Word Order.* Amsterdam: Benjamins.

Fynes-Clinton, O. H. 1913: *The Welsh Vocabulary of the Bangor District.* Oxford: Oxford University Press.

Jackson, K. H. 1953: *Language and History in Early Britain.* Edinburgh: Edinburgh University Press.

Jenkins, Myrddin 1959: *A Welsh Tutor.* Cardiff: University of Wales Press.

Jones, C. M. 1987: Astudiaeth o Iaith Lafar y Mot (Sir Benfro). Traethawd Ph.D. (Prifysgol Cymru).

Jones, C. M. 1989: Cydberthynas Nodweddion Cymdeithasol ag Amrywiadau'r Gymraeg yn y Mot, Sir Benfro. *Bwletin y Bwrdd Gwybodau Celtaidd*, 28: 64-83.

Jones, C. M. 1992: Varyation in the Nasal Mutation in the Dialect of New Moat, Pembrokeshire. *Papurau Gwaith Ieithyddol Caerdydd* 7 : 15-27.

Jones, Dafydd Glyn 1988: Literary Welsh. Yn M. J. Ball (ed.), tt. 125-71.

Jones, Bob Morris 1993: *Ar Lafar ac ar Bapur*. Aberystwyth: Y Ganolfan Astudiaethau Addysg.

Jones, Bob Morris 1991/93: The Definite Article and Specific Reference. *Studia Celtica*, 26/27: 175-201.

Jones, Morris 1972: The items Byth and Erioed. *Studia Celtica*, 7: 92-119.

Jones, Robert Owen 1967: A Structural Phonological Analysis and Comparison of Three Welsh Dialects. Traethawd M.A. (Prifysgol Cymru).

Lewis, Ceri W. (gol.) 1987: *Orgraff yr Iaith Gymraeg*. Caerdydd: Gwasg Prifysgol Cymru.

Lewis, Ceri W. 1995: 'Hynt y Gymraeg yng Nghwm Rhondda', Yn Hywel Teifi Edwards (gol.) *Cwm Rhondda*, tt. 72-125.

Lewis, Henry 1931: *Datblygiad yr Iaith Gymraeg*. Caerdydd: Gwasg Prifysgol Cymru.

Lewis, Henry 1943: *Yr Elfen Ladin yn yr Iaith Gymraeg*. Caerdydd: Gwasg Prifysgol Cymru.

Lewis, Henry and Pedersen, Holger 1937: *A Concise Comparative Celtic Grammar*. Göttingen: Vandenhoek & Ruprecht.

Morgan, T. J. 1952: *Y Treigladau a'u Cystrawen*. Caerdydd: Gwasg Prifysgol Cymru.

Morgan, T. J. 1987: Sim'o i'n gwbod. Sana-i'n gwbod. *Bwletin y Bwrdd Gwybodau Celtaidd*, 34: 88-93.

Morris-Jones, J. 1913: *A Welsh Grammar: Historical and Comparative*. Oxford: Oxford University Press.

Morris-Jones, J. 1925: *Cerdd Dafod*. Rhydychen: Gwasg Clarendon.

Morris-Jones, J 1931: *Welsh Syntax*. Cardiff: University of Wales Press.

Oftedal, M. 1962: A Morphemic Evaluation of the Celtic Initial Mutations. *Lochlann*, 2:93-102.

Phillips, Vincent H. 1955: Astudiaeth o Gymraeg llafar Dyffryn Elái a'r cyffiniau. Traethawd M.A. Prifysgol Cymru.

Richards, Melville 1938: *Cystrawen y Frawddeg Gymraeg*. Caerdydd: Gwasg Prifysgol Cymru.

Thomas, Beth a Thomas, Peter Wyn 1989: *Cymraeg, Cymrâg, Cymrêg . . . Cyflwyno'r Tafodieithoedd*. Caerdydd: Gwasg Tâf.

Thomas, C. H. 1975/76: Some phonological features of dialects in south-east Wales. *Studia Celtica*, 10/11: 345-36.

Thomas, C. H. 1982: Registers in Welsh. *International Journal of the Sociology of Language,* 35: 87-115.

Thomas, C. H. 1993: *Tafodiaith Nantgarw.* Caerdydd: Gwasg Prifysgol Cymru.

Thomas, Peter Wynn 1996: *Gramadeg y Gymraeg.* Caerdydd: Gwasg Prifysgol Cymru.

Thorne, D. A. 1971: Astudiaeth Seinyddol a Morffolegol o Dafodiaith Llangennech.Traethawd M.A. Prifysgol Cymru.

Thorne, D. A. 1976: Astudiaeth Gymharol o Ffonoleg a Gramadeg Iaith Lafar y Maenorau oddi mewn i Gwmwd Carnwyllion yn Sir Gaerfyrddin. Traethawd Ph.D. Prifysgol Cymru.

Thorne, D. A. 1975/76: Arwyddocâd y Rhagenwau Personol Ail Berson Unigol ym Maenor Berwig. *Studia Celtica,* 10/11: 383-87.

Thorne, D. A. 1977: Arwyddocâd y Rhagenwau Personol Ail Berson Unigol yng Nglyn Nedd (Gorllewin Morgannwg), Hebron (Dyfed) a Charnhedryn (Dyfed). *Bwletin y Bwrdd Gwybodau Celtaidd,* 27: 389-98.

Thorne, D. A. 1980: Cyfosod yn y Gymraeg: camre cyntaf mewn diffinio. *Bwletin y Bwrdd Gwybodau Celtaidd,* 29: 53-65.

Thorne, D. A. 1984: Sylwadau ar rai treigladau. *Bwletin y Bwrdd Gwybodau Celtaidd,* 31: 74-84.

Thorne, D. A. 1985: *Cyflwyniad i Astudio'r Iaith Gymraeg.* Caerdydd: Gwasg Prifysgol Cymru.

Thorne, D. A. 1993: *A Comprehensive Welsh Grammar: Gramadeg Cymraeg Cynhwysfawr.* Oxford: Blackwell.

Thorne, D. A. 1996: *Gramadeg Cymraeg.* Llandysul: Gwasg Gomer.

Watkins, T. A. 1961: *Ieithyddiaeth: Agweddau ar Astudio Iaith.* Caerdydd: Gwasg Prifysgol Cymru.

Watkins, T. Arwyn 1977/78: Y Rhagenwau Ategol. *Studia Celtica,* 12/13: 349-66.

Watkins, T. Arwyn 1991: The function of cleft and non-cleft constituent orders in modern Welsh. Yn J. Fife ac E. Poppe (eds), tt. 229-351.

Watkins, T. Arwyn 1993: Welsh. Yn *The Celtic Languages,* Martin J. Ball (ed.) London, Routledge.

William, Urien 1960: *A Short Welsh Grammar.* Llandybïe: Christopher Davies.

Williams, Stephen J. 1959: *Elfennau Gramadeg Cymraeg.* Caerdydd: Gwasg Prifysgol Cymru.

Williams, Stephen J. 1980: *A Welsh Grammar.* Cardiff: University of Wales Press.

(CH) *Papurau Newydd, Cylchgronau a Chyfnodolion*

Barddas
Barn
BBCS (*Bwletin Y Bwrdd Gwybodau Celtaidd*)
Cylchgrawn Llyfrgell Genedlaethol Cymru
Golwg
Llais Llyfrau
Llên Cymru
Sbec
Studia Celtica
Taliesin
Y Cardi
Y Cymro
Y Faner
Y Traethodydd
Y Tyst

(D) *Gweithiau Llenyddol*

Ap Dafydd, Myrddin (gol.) 1995: *Cyfrol Deyrnged Eic Davies*. Llanrwst: Gwasg Carreg Gwalch

Ap Gwilym, Gwyn 1979: *Da o Ddwy Ynys*. Abertawe: Christopher Davies.

Bowen, Geraint (gol.) 1970: *Y Traddodiad Rhyddiaith*. Llandysul: Gwasg Gomer.

Bowen, Geraint (gol.) 1972: *Ysgrifennu Creadigol*. Llandysul: Gwasg Gomer.

Bowen, Geraint, (gol.) 1976: *Y Traddodiad Rhyddiaith yn yr Ugeinfed Ganrif*. Llandysul: Gwasg Gomer.

Bromwich, Rachel ac Evans, D. Simon 1988: *Culhwch ac Olwen*. Caerdydd: Gwasg Prifysgol Cymru.

Bunyan, John 1962: *Taith y Pererin*, addaswyd gan Trebor Lloyd Evans. Llandysul: Gwasg Gomer.

Carroll, Lewis, 1982: *Anturiaethau Alys yng Ngwlad Hud*, trosiad gan Selyf Roberts. Llandysul: Gwasg Gomer.

Carroll Lewis 1984: *Trwy'r Drych a'r Hyn a Welodd Alys Yno*, trosiad gan Selyf Roberts. Llandysul: Gwasg Gomer.

Chilton, Irma 1989: *Mochyn Gwydr*. Llandysul: Gwasg Gomer.

Davies, Aneirin Talfan 1972: *Bro Morgannwg* 1. Llandybïe: Christopher Davies.

Davies, Aneirin Talfan 1976: *Bro Morgannwg* 2. Llandybïe: Christopher Davies.

Davies, Bryan Martin 1988: *Gardag*. Llandybïe: Christopher Davies.

Davies, Martin 1995: *Brân ar y Crud*. Talybont: Y Lolfa.

Davies, T. Glynne Davies 1974: *Marged*. Llandysul: Gwasg Gomer.

Dürrenmatt, Friedrich 1958: *Yr Adduned*, Cyfieithiad o *Das Versprechen*, gan Robat Powell. Caerdydd: Yr Academi Gymreig.

Eames, Marion 1982: *Y Gaeaf Sydd Unig*. Llandysul: Gwasg Gomer.

Eames, Marion 1992: *Y Ferch Dawel*. Llandysul: Gwasg Gomer.

Edwards, Hywel Teifi 1980: *Gŵyl Gwalia*. Llandysul: Gwasg Gomer.

Edwards, Hywel Teifi 1989: *Codi'r hen Wlad Yn Ei Hôl*. Llandysul: Gwasg Gomer.

Edwards, Jane 1976: *Dros Fryniau Bro Afallon*. Llandysul: Gwasg Gomer.

Edwards, Jane 1977: *Miriam*. Llandysul: Gwasg Gomer.

Edwards, Jane 1980: *Hon, Debygem, ydoedd Gwlad yr Hafddydd*. Llandysul: Gwasg Gomer.

Edwards, Jane 1989: *Blind Dêt*. Llandysul: Gwasg Gomer.

Eirian, Siôn 1979: *Bob yn y Ddinas*. Llandysul: Gwasg Gomer.

Elis, Islwyn Ffowc 1970: *Y Gromlech yn yr Haidd*. Llandysul: Gwasg Gomer.

Elis, Islwyn Ffowc 1971: *Eira Mawr*. Llandysul: Gwasg Gomer.

Evans, Ray 1986: *Y Llyffant*. Llandysul: Gwasg Gomer.

Evans, T. Wilson 1983: *Y Pabi Coch*. Llandysul: Gwasg Gomer.

George, Delyth 1990: *Islwyn Ffowc Elis*. Caernarfon: Gwasg Pantycelyn.

Gill, B. M. 1990: *Llinyn Rhy Dynn*, addasiad Meinir Pierce Jones, Llandysul: Gwasg Gomer

Gruffudd, Robat 1986: *Y Llosgi*. Talybont: Gwasg y Lolfa.

Gruffydd, R. Geraint (gol.) 1988: *Y Gair ar Waith*. Caerdydd: Gwasg Prifysgol Cymru.

Hauptman, Gerhart a Böll, Heinrich 1971: *Carnifal,* cyfieithiad J. Elwyn Jones. Y Bala: Gwasg y Sir.

Hughes, J. Elwyn 1989: *Cyfansoddiadau a Beirniadaethau Dyffryn Conwy a'r Cyffiniau*. Llandysul: Gwasg Gomer.

Hughes, J. Elwyn 1991: *Cyfansoddiadau a Beirniadaethau Bro Delyn*. Llandysul: Gwasg Gomer.

Hughes, J. Elwyn 1995: Cyfansoddiadau a Beirniadaethau Bro Colwyn, Llandybïe: Gwasg Dinefwr.

Hughes, Mair Wyn 1983: *Yr Un Yw'r Frwydr*. Llandysul: Gwasg Gomer.

Hughes, Mair Wyn 1989: *Caleb*. Llandysul: Gwasg Gomer.

Hughes, R. Cyril 1975: *Catrin o Ferain*. Llandysul: Gwasg Gomer.

Hughes, R. Cyril 1976: *Dinas Ddihenydd*. Llandysul: Gwasg Gomer.

Humphreys, Emyr 1981: *Etifedd y Glyn*, trosiad Cymraeg gan W. J. Jones. Penygroes: Gwasg Dwyfor.

Humphreys, Emyr 1986: *Darn o Dir*, trosiad Cymraeg gan W. J. Jones. Penygroes: Gwasg Dwyfor.

Hywel, Emyr 1973-4: *Gwaedlyd y Gad*. Y Bontfaen: Brown a'i Feibion.

Hywel, Emyr 1989: *Dyddiau'r Drin*. Llandybïe: Cyhoeddiadau Barddas.

Jenkins, Geraint H. 1980: *Thomas Jones yr Almanaciwr*. Caerdydd: Gwasg Prifysgol Cymru.

Jenkins, Geraint H. 1983: *Hanes Cymru yn y Cyfnod Modern Cynnar 1530-1760*. Caerdydd: Gwasg Prifysgol Cymru.

Jenkins, John (gol.): *Fy Nghymru i*. Abertawe: Christopher Davies.

Johnson, Dafydd 1989: *Iolo Goch*, Caernarfon: Gwasg Pantycelyn.

Jones, Anharad 1995: *Y Dylluan Wen*, Llandysul: Gwasg Gomer.

Jones, Alun 1981: *Pan Ddaw'r Machlud*. Llandysul: Gwasg Gomer.

Jones, Alun 1989: *Plentyn y Bwtias*. Llandysul: Gwasg Gomer.

Jones, Dic 1989: *Os Hoffech Wybod* . . . Caernarfon: Gwasg Gwynedd.

Jones, Elwyn 1978: *Picell mewn Cefn*. Llandysul: Gwasg Gomer.

Jones, Harri Prichard 1978: *Pobl*. Llandysul: Gwasg Gomer.

Jones, Idwal 1977: *Llofrudd Da*. Llanrwst: Llyfrau Tryfan.

Jones, Idwal 1978: *Dirgelwch yr Wylan Ddu*. Llanrwst: Llyfrau Tryfan.

Jones, Idwal 1979: *Gari Tryfan v Dominus Gama*. Llanrwst: Llyfrau Tryfan.

Jones, Idwal d.d.: *Y Fainc*. Llanrwst: Llyfrau Tryfan.

Jones, John Gruffydd 1981: *Cysgodion ar y Pared*. Llandysul: Gwasg Gomer.

Jones, Marian Henry 1982: *Hanes Ewrop 1815-1871*. Caerdydd: Gwasg Prifysgol Cymru.

Jones, Rhiannon Davies 1977: *Llys Aberffraw*. Llandysul: Gwasg Gomer.

Jones, Rhiannon Davies 1985: *Dyddiadur Mari Gwyn*. Llandysul: Gwasg Gomer.

Jones, Rhiannon Davies 1987: *Cribau Eryri*. Caernarfon: Gwasg Gwynedd.

Jones, Rhiannon Davies 1989: *Barrug y Bore*. Caernarfon: Gwasg Gwynedd.

Jones, R. Gerallt 1977: *Triptych*. Llandysul: Gwasg Gomer.

Jones, Siân 1990: *Coup d' État*. Llandysul: Gwasg Gomer.

Jones, T. Llew 1977: *Lawr ar lan y Môr: Storïau am Arfordir Dyfed*. Llandysul: Gwasg Gomer.

Jones, T. Llew 1980: *O Dregaron i Bungaroo*. Llandysul: Gwasg Gomer.

Jones, W. J. 1994: *Cyfansoddiadau a Beirniadaethau Nedd a'r Cyffiniau*. Llandybïe: Gwasg Dinefwr.

Kidd, Ioan 1977: *Cawod o Haul*. Llandysul: Gwasg Gomer.

Lovesay, Peter 1991: *Seidr Chwerw*, addaswyd gan Ieuan Griffith. Llanrwst: Gwasg Carreg Gwalch.

Lewis, Robin 1980: *Esgid yn Gwasgu*. Llandysul: Gwasg Gomer.

Lewis, Roy 1978: *Cwrt y Gŵr Drwg*. Talybont: Y Lolfa.

Lilly, Gweneth 1981: *Gaeaf y Cerrig*. Llandysul: Gwasg Gomer.

Lilly, Gweneth 1984: *Orpheus*. Llandysul: Gwasg Gomer.

Lloyd, D. Tecwyn 1988: *John Saunders Lewis: Y Gyfrol Gyntaf.* Dinbych: Gwasg Gee

Llwyd, Alan 1984: *Gwyn Thomas*. Caernarfon: Gwasg Pantycelyn.

Llwyd, Alan 1991: *Gwae Fi Fy Myw.* Caernarfon: Cyhoeddiadau Barddas.

Llywelyn, Robin 1994: *O'r Harbwr Gwag i'r Cefnfor Gwyn*. Llandysul: Gwasg Gomer

Llywelyn, Robin 1995: *Y Dŵr Mawr Llwyd*. Llandysul: Gwasg Gomer.

Morgan, Derec Llwyd 1972: *Barddoniaeth T. Gwynn Jones*. Llandysul: Gwasg Gomer.

Morgan, Derec Llwyd 1983: *Williams Pantycelyn*. Caernarfon: Gwasg Pantycelyn.

Nicholas, W. Rhys (gol.) 1977: *Cyfansoddiadau a Beirniadaethau Wrecsam*. Llandysul: Gwasg Gomer.

Nicholas, W. Rhys (gol.) 1984:*Cyfansoddiadau a Beirniadaethau Llanbedr Pont Steffan*. Llandysul: Gwasg Gomer.

Nicholas, W. Rhys (gol.) 1988:*Cyfansoddiadau a Beirniadaethau Casnewydd*. Llandysul: Gwasg Gomer.

Ogwen, John 1996: *Hogyn o Sling*. Caernarfon: Gwasg Gwynedd.

Owen, John Idris 1984: *Y Tŷ Haearn*. Llandysul: Gwasg Gomer.

Roberts, David 1978: *I'r Pridd Heb Arch*. Llandysul: Gwasg Gomer.

Roberts, Eigra Lewis 1980: *Mis o Fehefin*. Llandysul: Gwasg Gomer.

Roberts, Eigra Lewis 1981: *Plentyn yr Haul*. Llandysul: Gwasg Gomer.

Roberts, Eigra Lewis 1988: *Cymer a Fynnot*. Llandysul: Gwasg Gomer.

Roberts, Eigra Lewis 1996: *Dyddiadur Ann Frank*. Gwasg Addysgol Cymru.

Roberts, Kate 1972: *Gobaith a Storïau Eraill*. Dinbych: Gwasg Gee.

Roberts, Kate 1976: *Yr Wylan Deg*. Dinbych: Gwasg Gee.

Roberts, Wil 1985: *Bingo*. Penygroes: Gwasg Dwyfor.

Roberts, W. O. 1987: *Y Pla*: Annwn.

Rowlands, John 1965: *Ieuenctid yw Mhechod*. Llandybïe: Christopher Davies.

Rowlands, John 1972: *Arch ym Mhrâg*. Llandybïe: Christopher Davies.

Rowlands, John 1978: *Tician Tician*. Llandysul: Gwasg Gomer.

Rhys, Beti 1988: *Crwydro'r Byd*. Dinbych: Gwasg Gee.

Simenon, Georges 1973: *Maigre'n Mynd Adre*, trosiad gan Mair Hunt. Caerdydd: Gwasg y Dref Wen.

Thomas, Gwyn 1971: *Y Bardd Cwsg a'i Gefndir*. Caerdydd: Gwasg Prifysgol Cymru.

Thomas, Gwyn 1987: *Alun Llywelyn-Williams*. Caernarfon: Gwasg Pantycelyn.

Thomas, Ned 1985: *Waldo*. Caernarfon. Gwasg Pantycelyn.

Thomas, Rhiannon 1988: *Byw Celwydd.* Llandysul: Gwasg Gomer.

Tomos, Angharad 1991: *Si Hei Lwli.* Talybont: Gwasg y Lolfa.

Tomos, Angharad 1997: *Wele'n Gwawrio.* Talybont: Gwasg y Lolfa.

Wiliam, Urien (gol.) 1974: *Storïau Awr Hamdden.* Llandybïe: Christopher Davies.

Williams, Anwen P. 1976: *Antur Elin a Gwenno.* Llandysul: Gwasg Gomer.

Williams, Harri 1978: *Y Ddaeargryn Fawr.* Llandysul: Gwasg Gomer.

Williams, J. E. Caerwyn Williams 1975- : *Ysgrifau Beirniadol.* Dinbych: Gwasg Gee.

Williams, J. G. 1978: *Betws Hirfaen.* Dinbych: Gwasg Gee.

Williams, Marcel 1990: *Diawl y Wenallt.* Talybont: Gwasg y Lolfa.

Williams, M. E. 1992: *Hanes Eglwys Annibynnol Esgairdawe.* Abertawe: Argraffwyd gan Wasg John Penry.

Williams, R. Bryn 1973: *Agar.* Caernarfon: Llyfrfa'r M.C.

Williams, R. Bryn 1976: *Y Gwylliaid.* Abertawe: Christopher Davies.

Williams, Rhydwen 1979: *Gallt y Gofal.* Abertawe: Christopher Davies.

Williams, Waldo 1956: *Dail Pren.* Aberystwyth: Gwasg Aberystwyth.

Mynegai

129

130